Chère lectrice,

A travers nos romans, la vie vous fait cette promesse : quoi qu'il arrive, si l'amour est sincère et passionné, il triomphe de tous les obstacles, de tous les drames. J'ai donc pensé, ce mois-ci, à vous suggérer une manière de célébrer la passion tout un week-end, très simplement mais très romantiquement — et à deux, bien sûr.

Dès le vendredi soir, décidez d'une sortie imprévue. Un bonheur simple. Par exemple, après le travail, donnez-vous rendez-vous dans un club de jazz, un bar confortable, une expo, un endroit où vous n'allez jamais. L'idée, c'est de rompre les habitudes pour se laisser porter toute la journée par la joie de se retrouver le soir…

Le samedi matin, laissez de côté les obligations, pour une fois. Il pleut ? Tant mieux ! Glissez-vous dans un ciré et sortez. Serrés l'un contre l'autre, offrez vos visages à la pluie, riez comme des enfants, embrassez-vous (beaucoup) et ne rentrez que lorsque vous êtes trempés jusqu'aux os. Le plaisir de vous pelotonner ensemble sur le canapé en buvant un chocolat brûlant n'en sera que plus grand.

Le soir, transformez votre chambre en nid d'amour et dînez-y. Eteignez les lampes et allumez mille bougies, jetez une nappe sur le lit et dressez-y la table mais ne prévoyez ni couteaux ni fourchettes. Votre complicité et votre intimité gagneront en saveur si vous vous faites goûter les mets l'un l'autre de vos seules mains nues.

Et si vous n'avez jamais essayé : faites la lecture à votre compagnon. Votre collection Emotions a tout prévu pour cela.

Bonne lecture,

La responsable de collection

La tourmente des sentiments

EVE GADDY

La tourmente des sentiments

éMOTIONS

éditionsHarlequin

Cet ouvrage a été publié en langue anglaise
sous le titre :
SOMEWHERE IN TEXAS

Traduction française de
FLORENCE MOREAU

HARLEQUIN®

est une marque déposée du Groupe Harlequin
et Émotions® est une marque déposée d'Harlequin S.A.

Photos de couverture
Femme : © DON KLUMPP / GETTY IMAGES
Mer : © GAY BUMGARNER / GETTY IMAGES

83-85, boulevard Vincent-Auriol, 75013 PARIS — Tél. : 01 42 16 63 63
Service Lectrices — Tél. : 01 45 82 47 47
ISBN 2-280-07966-6 — ISSN 1768-773X

1.

Le tonnerre grondait. Des craquements assourdissants déchiraient le silence. Des éclairs zébraient le ciel sans relâche et le vent mugissait avec une force inouïe. Pour Cameron Randolph, qui avait toujours vécu sur la côte texane, un ouragan ou une violente tempête, comme celle d'aujourd'hui, n'avait rien de bien nouveau, ni de bien inquiétant. Il était toutefois satisfait d'avoir atteint l'auvent avant que le déluge ne se déchaîne.

Le Perroquet Rouge, le bar-restaurant de front de mer qu'il tenait depuis plusieurs années, était l'un des établissements les plus fréquentés d'Aransas City. Ce qui, étant donné la taille de la bourgade, ne signifiait pas grand-chose en matière de rentabilité. La maison fermait ses portes tous les soirs à 22 heures, même le week-end, et le lundi toute la journée. Cam avait découvert très jeune que même un forcené de travail avait besoin de se reposer au moins une fois par semaine sous peine de devenir fou.

Il s'arrêta quelques instants sous l'auvent, jeta un dernier coup d'œil au ciel, puis emprunta l'escalier arrière, ainsi qu'il en avait l'habitude. Néanmoins, au lieu de gravir la deuxième volée de marches qui menait à ses appartements privés, au-dessus de l'établissement, il obliqua vers les cuisines et regagna la salle de restaurant, non sans penser à prendre au passage une lampe de poche dans un placard au cas où il y aurait une coupure de courant — ce qui arrivait neuf fois sur dix pendant un orage violent.

Se dirigeant d'un pas déterminé vers le bar, il appuya sur un interrupteur ; une faible lueur se diffusa alors dans la salle qui demeura toutefois en partie dans l'obscurité. Voilà qui s'harmonisait tout à fait avec son humeur, pensa-t-il. Son humeur qui était aussi sombre que le temps.

Il s'était fait une règle de ne jamais boire seul. En tant que propriétaire d'un bar-restaurant, il était facile de prendre la mauvaise pente, et il avait trop souvent vu des collègues détruire leur vie à cause de l'alcool. Ce soir, toutefois, n'était pas un soir comme les autres. Ce soir, il venait de fêter son trente-neuvième anniversaire. Et il se sentait aussi seul qu'un homme pouvait se sentir à l'approche de la quarantaine, bien qu'il ait lui-même choisi cette solitude-là.

Désireuses de lui faire plaisir, ses sœurs avaient organisé une fête d'anniversaire à laquelle elles avaient convié de nombreuses jeunes femmes célibataires. Malheureusement, Cam n'avait craqué pour aucune, pas même pour la rousse à la silhouette de top model qui avait flirté avec lui toute la soirée. Aussi était-il rentré seul chez lui, bien résolu à comprendre pourquoi et depuis quand sa vie était devenue si ennuyeuse...

Prenant un verre sur une étagère, il se versa une dose de whisky avant de passer de l'autre côté du comptoir. Il se jucha sur un tabouret éclairé par le rond de lumière que projetait la seule lampe allumée du bar. Avalant une gorgée d'alcool, il leva son verre vers un barman imaginaire avant de déclarer d'un ton faussement solennel :

— Aux femmes !

Puis il éclata de rire.

Fait connu de peu de personnes, ce soir était aussi le douzième anniversaire de la nuit où il avait surpris sa fiancée au lit avec un autre homme. Un homme qu'il croyait être son ami. Depuis, la seule idée d'engagement le faisait fuir. L'infidélité de Janine ne l'avait pas pour autant détourné des femmes, mais l'avait juste convaincu de ne jamais lier sa vie à l'une d'entre elles. Et, bien sûr, toutes ses illusions sur l'amour s'étaient envolées. N'en déplaise à ses deux sœurs et à sa mère qui l'agaçaient prodigieusement à toujours vouloir jouer les marieuses.

Furieux de s'apitoyer sur lui-même, Cam s'empara de la bouteille et de son verre, et se dirigea vers les cuisines pour regagner son appartement situé au-dessus.

L'établissement était doté de trois escaliers. Un à l'arrière, qui menait directement chez lui, sans accès au bar-restaurant. C'était celui-ci qu'il empruntait parfois, quand il n'avait pas envie de passer par le Perroquet Rouge pour monter chez lui. Un autre partait de la réserve jusqu'à son logement en passant par les cuisines. Quant au troisième, il se trouvait côté façade et conduisait uniquement au bar-restaurant.

L'orage s'était un peu calmé, mais il ne s'agissait que d'une trêve ; il attendait son heure pour donner de nouveau l'assaut, encore plus violemment. Mais, pour l'instant, il régnait un étrange silence seulement troublé par quelques grondements étouffés.

Alors qu'il se trouvait sur le palier, Cam entendit soudain du bruit, en bas... Cela provenait-il de la réserve ? Il était pourtant certain d'avoir verrouillé la porte d'entrée. Bon sang ! Il n'aurait plus manqué qu'on le cambriole par une nuit pareille !

Revenant sur ses pas, Cam posa sa bouteille et son verre sur la table des cuisines, puis balaya la pièce du regard, en quête d'un instrument pour se défendre, au cas où... Il y avait bien la batte de base-ball qu'il conservait sous le comptoir du bar par mesure de sécurité, mais il n'en avait jamais fait usage. Il était assez fort pour avoir raison des importuns et pouvait également compter sur l'aide de ses clients habituels, en cas de réel problème.

Quant à une éventuelle arme, il n'en possédait pas. Tout d'abord parce qu'il n'y avait pratiquement pas de délinquance à Aransas City, ensuite parce qu'il n'affectionnait pas particulièrement les armes à feu. La seule fois où il en avait manié, c'était durant son bref passage dans l'armée.

Allons ! Son visiteur devait probablement être un animal égaré qui cherchait à s'abriter de l'orage. Peut-être le chien errant auquel il avait donné un bol de nourriture, quelques jours plus tôt ?

Mais désireux d'en avoir le cœur net, Cam descendit les marches qui menaient à la réserve. Lorsqu'il voulut allumer la lumière, il constata que le dernier éclair avait été fatal à l'électricité. Il balaya alors la pièce de sa lampe de poche... et ne vit rien, à part les étagères en métal garnies de bouteilles d'alcool et de jus de fruit. Mais il entendit de nouveau une sorte de grincement.

Se dirigeant immédiatement vers la porte arrière, il s'aperçut qu'elle avait été forcée. D'un mouvement vif, il se retourna et balaya une nouvelle fois l'endroit de sa lampe de poche...

Il entraperçut alors une ombre qui disparaissait derrière une caisse, près de la fenêtre.

— Sortez d'ici ! ordonna-t-il. Si c'est pour un cambriolage, autant vous prévenir tout de suite que vous allez vous casser le nez. Je dépose l'argent de ma caisse à la banque tous les soirs.

Il attendit quelques secondes, mais rien ne bougea.

— Si j'appelle la police, elle sera là dans cinq minutes, reprit-il. Aussi, si vous ne tenez pas à ce qu'elle vous...

Sans attendre la fin de sa phrase, le visiteur indésirable surgit brusquement de sa cachette et se précipita vers la porte.

Cam le saisit alors par le bras, laissant échapper sa lampe.

L'intrus se débattait comme un chat sauvage, lui griffant le visage et lui donnant des coups de poing désordonnés. Mais comme il était petit et mince, ses tentatives restaient vaines.

Cam finit enfin par le maîtriser, le ceinturant par-derrière et... ses mains tâtèrent des formes toutes féminines sous un T-shirt trempé !

— Par exemple ! s'exclama-t-il, stupéfait, en desserrant imperceptiblement son étreinte.

Profitant de sa surprise, son adversaire effectua une preste virevolte et lui asséna un coup de pied à l'endroit le plus sensible de son anatomie avant de foncer vers la sortie. Dans un ultime effort, Cam rattrapa son intrus en jupons avant qu'elle n'ait le temps d'ouvrir la porte.

— Vous n'irez nulle part, aussi je vous conseille de vous calmer rapidement ! déclara-t-il d'un ton sévère.

— Lâchez-moi, espèce de pervers ! rétorqua-t-elle.

Sa voix était rauque, suave et aussi noire que la nuit.

— Ne comptez pas là-dessus. Je vous rappelle que vous êtes entrée chez moi par effraction pour tenter de me cambrioler.

— Je me fiche de votre maudit argent ! Je cherchais juste un abri...

Elle s'interrompit à cause d'une violente quinte de toux. Quand elle put de nouveau parler, elle reprit, avec la même agressivité :

— Laissez-moi partir ! Je veux partir d'ici !

— Non, ce ne serait pas raisonnable.

Sur une impulsion, Cam lui toucha le front. Il était brûlant. Que faisait cette gamine malade, dehors par cette nuit sans nom ? Même un cambrioleur aurait choisi une soirée plus favorable.

— Venez, ajouta-t-il d'un ton impérieux.

Il l'entraîna alors vers l'escalier. Voleuse ou non, il était exclu qu'il mette à la porte une femme brûlante de fièvre par un temps pareil. En outre, une fois qu'il l'aurait soignée, il comptait bien l'obliger à s'expliquer sur ses intentions.

Naturellement, elle résista, se débattit, traîna les pieds, tenta de nouveau de lui asséner quelques coups. Mais elle eut beau lui donner du fil à retordre, Cam demeura intraitable.

— Ecoutez, finit-il par dire, vous feriez mieux de vous calmer car je ne vous laisserai pas repartir.

Elle fit mieux que se calmer... Elle s'évanouit dans ses bras.

Il crut tout d'abord à une stratégie de sa part, mais lorsqu'il la souleva de terre, sa tête dodelina vers l'arrière. Pour couronner le tout, son corps fut pris de curieux tremblements. Subitement inquiet, Cam la monta directement chez lui.

De sa main libre, il chercha à tâtons l'interrupteur, dans l'espoir que le courant avait été rétabli... Peine perdue. Il installa alors la jeune femme sur son canapé, puis la recouvrit d'une couverture avant d'allumer les bougies qu'il conservait toujours à proximité, en cas d'urgence.

Il faisait relativement froid dehors, et elle était trempée jusqu'aux os. Cependant, elle devait déjà être malade avant sa *promenade* sous la pluie. Devait-il appeler une ambulance ? Non. Une ambulance, peut-être pas. Mais un docteur, sûrement. Il décida de prévenir son beau-frère médecin, Jay, et décrocha son téléphone. La ligne était coupée ! La barbe ! Et, refusant l'asservissement à la technique, il ne possédait pas de téléphone portable.

Posant deux doigts sur le cou de la jeune femme, il chercha son pouls... et fut soulagé de constater qu'il battait fort. Il envisagea un instant de lui enlever ses vêtements mouillés pour l'envelopper dans un peignoir, mais se ravisa ; si elle se réveillait durant l'opération, elle prendrait peur.

Il lui retira toutefois son sac à dos qu'il posa à côté du canapé, et alla chercher un verre d'eau et de l'aspirine, priant pour qu'elle se réveille rapidement. Sinon, il devrait réellement la conduire à l'hôpital, en dépit de l'orage.

Ses longs cheveux noirs étaient plaqués contre son crâne. Sa peau était claire et semblait aussi douce que celle d'un bébé, même si, à l'heure actuelle, ses joues étaient rouges de fièvre.

— Je me demande bien ce que tu fuyais, murmura-t-il en essuyant doucement ses cheveux avec une serviette.

Elle revint progressivement à elle, sans comprendre où elle se trouvait. Elle se mit à tousser, puis tâcha de se rappeler ce qu'il lui était arrivé. Mais son cerveau ne lui renvoya que des images confuses et, lorsqu'elle voulut se lever, elle fut prise de vertiges. Cela venait certainement du manque de nourriture. Et du froid. Elle tremblait sous la couverture. Etait-ce un nouveau cauchemar ?

Le front en sueur, elle fit un effort sur elle-même et se redressa brusquement sur sa couche. C'était pire qu'un cauchemar : c'était la réalité. Un homme était assis à côté d'elle... Un homme qu'elle n'avait jamais vu auparavant... D'un seul coup, la mémoire lui revint. Elle était entrée par effraction dans une maison pour se protéger de l'orage. Malheureusement, avant qu'elle ne puisse goûter à son nouveau confort, le maître des lieux l'avait découverte.

Resserrant la couverture autour de son corps, elle se laissa retomber sur le canapé, non sans lutter contre une nouvelle quinte de toux.

— Ne me touchez pas ! Je fais du karaté, le prévint-elle d'une voix enrouée.

Ainsi que sa mère le lui avait appris, quand tout avait échoué, il ne restait plus que le bluff.

L'inconnu se mit à rire.

— Désolé chérie, mais quand bien même vous seriez ceinture noire, étant donné votre état, je ne courrais pas un réel danger, sans vouloir vous offenser. Etes-vous folle pour vous promener sous la pluie alors que vous toussez à fendre l'âme ?

La note amicale qu'elle perçut dans sa voix la rassura quelque peu et elle jeta un coup d'œil autour d'elle. Des bougies éclairaient faiblement la pièce. L'homme qui l'avait portée jusque-là était d'une stature imposante, d'un beau blond cendré... et terriblement séduisant ! Il avait bien dix ans de plus qu'elle, pensa-t-elle. Pas aussi âgé que... Non ! Elle ne devait pas songer à lui.

— Laissez-moi partir, lui dit-elle. Je vous jure que je n'avais pas l'intention de vous cambrioler.

— Vous conviendrez que j'ai tout lieu de croire le contraire. Et il est suicidaire de votre part de sortir par un temps pareil, ajouta-t-il alors qu'une violente quinte de toux venait de nouveau de couper le souffle de la jeune femme. Je me demande si je ne devrais pas vous conduire à l'hôpital.

— Non ! Pas d'hôpital ! s'écria-t-elle, affolée.

Elle ne voulait figurer sur aucun registre. Si elle laissait la moindre trace de son passage quelque part, il la retrouverait à coup sûr.

— C'est un simple rhume, marmonna-t-elle. Cela va passer.

Sans un mot, Cam lui tendit deux cachets et un verre d'eau.

— Avalez ça. C'est de l'aspirine, précisa-t-il en la voyant hésiter.

— Qu'est-ce qui me le prouve ?

Il la jaugea d'un air dubitatif, puis laissa échapper un juron avant d'aller chercher une bougie qu'il approcha tout près des cachets de sorte qu'elle puisse lire le nom du médicament gravé en relief.

— *C'est* de l'aspirine.

Reposant la bougie sur la table basse, il ajouta :

— Pourquoi êtes-vous sur vos gardes ?

— Pourquoi vous ferais-je confiance ? rétorqua-t-elle sur le même ton.

Elle avala tout de même les cachets et vida le verre d'un trait.

— Parce que vous n'avez pas franchement le choix, répondit-il.

Puis, sans lui demander son avis, il se leva et, passant un bras vigoureux sous les siens, entreprit de la mettre debout. Elle vacilla quelques secondes, mais il la maintint fermement droite.

— Vous allez me faire le plaisir de prendre une douche bien chaude, lui annonça-t-il en la conduisant vers la salle de bains. Je vais vous apporter des vêtements secs que je laisserai devant la porte. Ensuite, vous aurez sûrement des choses à me dire.

Trop épuisée pour discuter davantage, elle ne chercha pas à le contredire, mais referma soigneusement la porte à clé derrière elle, avant de s'y appuyer pour reprendre son souffle... Peut-être avait-elle tort de lui faire confiance. Toutefois, s'il avait été malintentionné, il aurait pu profiter de son évanouissement tout à l'heure. Allons ! La perspective de prendre une douche chaude et d'enfiler des vêtements secs était bien trop tentante pour décliner la proposition.

Quand elle ressortit de la douche, elle trouva les habits promis, ainsi que son sac à dos près de la porte. Le jean et le T-shirt correspondaient à peu près à sa taille. Appartenaient-ils à sa femme ? Comment réagirait cette dernière en apprenant qu'il avait introduit une inconnue dans leur foyer ? Une inconnue qu'il avait, de surcroît, soupçonnée de vol par effraction.

A moins qu'il ne fût pas marié. Et qu'il attende une compensation en retour... Assez ! Elle devenait paranoïaque, se reprocha-t-elle en enfilant avec plaisir les vêtements secs. Elle se mit alors en quête de son mystérieux hôte.

Il était dans sa cuisine, en train de s'affairer autour des fourneaux. Le courant n'avait toujours pas été rétabli, mais la lumière tremblotante diffusée par les bougies rendait la pièce accueillante. Elle observa son bienfaiteur un instant en silence. Sa première impression était la bonne : l'homme était séduisant. Si séduisant que c'en était troublant.

L'entendant arriver, il lui jeta un regard oblique.

— Asseyez-vous. La soupe sera prête dans une minute.

— Et comment se fait-il que la cuisinière fonctionne alors qu'il n'y a plus de courant ? demanda-t-elle d'un air suspicieux.

— Ma parole, c'est la fée Méfiance qui s'est penchée sur votre berceau à vous ! Alimentation au gaz, ajouta-t-il en déposant du pain sur la table. En raison de la fréquence des orages dans la région, il est préférable de ne pas dépendre entièrement de l'électricité. Tenez, avalez ça.

C'était un bouillon de poulet aux vermicelles qui sentait délicieusement bon. Cet homme était-il réel ou directement sorti de son imagination ? se demanda-t-elle alors. Puis, sans plus chercher à comprendre, elle se mit à manger.

Il s'assit en face d'elle sans mot dire. Il la laissa avaler les trois quarts de sa soupe avant de demander :

— Depuis combien de temps n'avez-vous pas mangé ?

— Je ne sais pas, répondit-elle en haussant les épaules. Deux jours, peut-être...

En fait, cela faisait bien plus longtemps qu'elle n'avait

pas pris un véritable repas. Disposant de peu d'argent, elle avait dû se contenter de sandwichs ou de barres chocolatées depuis qu'elle était en fuite. Et avant... Avant, elle avait cessé de s'alimenter après avoir découvert que sa nourriture était bourrée de somnifères. A cette pensée, elle reposa la cuillerée qu'elle s'apprêtait à porter à sa bouche. Elle n'avait plus faim.

— Pourquoi êtes-vous si gentil avec moi ? questionna-t-elle. Est-ce le dernier repas du condamné que vous m'offrez ?

Il se mit à rire, montrant une dentition parfaite.

— Rien de si tragique, rassurez-vous. Et je n'ai pas appelé la police, si c'est ce qui vous tracasse.

— Pourquoi ? Vous me prenez bien pour une voleuse, non ?

— J'ai changé d'avis, dit-il en se levant pour déposer son bol dans l'évier.

Puis il lui fit de nouveau face et croisa les bras.

— Que fuyez-vous, Anne ?

Les bougies projetaient de curieuses ombres sur les murs de la cuisine... Son hôte lui sembla tout à coup aussi imposant que menaçant. Réprimant une bouffée de peur, elle demanda d'une voix étranglée :

— Comment connaissez-vous mon nom ?

A cet instant, il brandit son portefeuille.

— J'ai vérifié votre identité quand vous étiez évanouie.

La colère la submergea. Elle voulut se jeter sur lui et lui reprendre ses papiers, mais une quinte de toux l'en empêcha et la contraignit à se rasseoir.

— Vous n'aviez pas le droit de fouiller dans mes affaires, lui reprocha-t-elle, une fois la toux calmée.

— Mais bien sûr que si ! répliqua-t-il en lui tendant

son portefeuille. Je vous ai prise en flagrant délit d'effraction, je vous rappelle, et j'avais de bonnes raisons de croire que vous vouliez me cambrioler. Et, qui plus est, vous aviez l'air bien jeune. Je n'héberge pas les mineures en fugue.

— Je ne suis pas une enfant ! D'ailleurs, comme vous avez regardé mes papiers d'identité, vous savez pertinemment que je ne suis plus mineure depuis longtemps.

A cette pensée, elle eut un bref instant de panique... avant de se rappeler que seul son nom de jeune fille figurait sur sa carte d'identité.

— En tant que propriétaire de bar, j'ai l'habitude de voir des mineurs exhiber des papiers falsifiés, répliqua-t-il.

— Ce ne sont pas des faux ! insista-t-elle sur un ton désespéré.

S'il appelait la police, on ferait un rapport sur elle. Ce qu'elle voulait précisément éviter à tout prix. Il ne fallait pas que l'on retrouve sa trace. N'avait-elle pas eu assez d'ennuis jusque-là ? Pourquoi avait-il fallu qu'elle force la porte d'un... d'un justicier ?

— Je n'ai pas dit que les vôtres l'étaient, dit-il en souriant. Vous avez l'air jeune, mais je pense que vous avez bien les vingt-cinq ans que proclame votre date de naissance. Et je suis également convaincu que vous êtes en fuite, Anne.

— Ne m'appelez pas Anne ! s'écria-t-elle brusquement.

Elle ne voulait plus jamais entendre ce prénom ! Anne était morte cette fameuse nuit, à Houston. Elle n'était plus la même femme, et ne le serait jamais plus.

— Appelez-moi Delilah, précisa-t-elle alors d'une voix plus calme.

C'était le surnom que sa mère lui donnait, autrefois.

— Comme vous voudrez… Toutefois, si vous souhaitez que je vous aide, il vaudrait mieux tout m'avouer.

Avouer ? Sûrement pas !

— Votre femme approuve-t-elle le fait que vous accueilliez des inconnues chez vous ? demanda-t-elle pour changer de sujet.

A cette question, un sourire amusé barra le visage de son interlocuteur. Se rasseyant en face d'elle, il répondit en la regardant bien en face :

— Bien joué ! Mais je n'ai pas de femme… En outre, ce n'est pas de moi qu'il s'agit, mais de vous. Qui fuyez-vous, Delilah ?

Elle ne répondit pas et se mit à fixer la flamme vacillante d'une bougie.

Se penchant vers elle sans la lâcher des yeux, il insista :

— Un mari ? Un petit ami ?

Non, elle ne lui répondrait pas… Mais plus elle restait muette, plus le visage de son hôte durcissait.

— La loi ?

— Non ! Pas la loi. Je vous le jure, lâcha-t-elle précipitamment.

Et, en prononçant ces mots, elle résista à l'envie de croiser les doigts. Car il se pouvait fort bien que, à ce jour, la police de Houston fût à ses trousses. Oh non ! Mais elle préférait ne pas y songer… Les choses n'avaient tout de même pas pu dégénérer à ce point. Elle refusait de croire qu'elle avait tué Avery en le poussant dans l'escalier. A cette pensée, sa gorge se serra… Elle le revit étendu sur le sol, immobile… Affreusement immobile… Non ! Il était trop démoniaque pour mourir si facilement.

En face d'elle, son hôte gardait le silence, attendant qu'elle reprenne la parole. De nouveau, elle tenta de faire diversion et demanda d'un ton détaché :

— Et vous, comment vous appelez-vous ?

— Cam. Cameron Randolph.

— Je suis Delilah St John, dit-elle en lui tendant la main.

Delilah… Elle aimait ce prénom. Il sonnait bien. Il était rassurant. Elle pouvait presque entendre sa mère le prononcer de sa voix pleine d'amour…

Cam lui serra la main et la retint un peu plus longtemps que nécessaire dans la sienne tout en la regardant avec intensité.

— En général, les gens aiment bien confier leurs problèmes, lui dit-il. Et vous avez de la chance, je suis un bon confident. Est-ce donc si grave que vous ne puissiez en parler ?

Il avait l'air si sympathique… Hélas ! Elle était déjà tombée amoureuse d'un homme qu'elle croyait sympathique, et l'expérience avait été des plus désastreuses.

Bon, résuma-t-elle, Cameron Randolph l'avait accueillie chez lui, et même s'il l'avait prise pour une cambrioleuse, n'avait pas appelé la police. Elle lui devait donc quelque explication, étant entendu qu'il était exclu de lui livrer toute la vérité.

— Oui, murmura-t-elle alors d'une petite voix.

— « Oui », c'est très grave ?

La gorge serrée, elle acquiesça, redoutant sa réaction.

— Allez-vous me mettre à la porte ? Appeler la police ?

De nouveau, elle se mit à tousser. C'était bien sa veine d'être malade, en plus de tous les ennuis qu'elle avait déjà.

— Non, décréta-t-il. Je vais vous installer dans ma chambre d'amis et vous donner du sirop. Nous discuterons demain, quand vous vous sentirez mieux.

Mais qui était donc cet homme ? Pourquoi était-il si généreux ? Pouvait-elle lui faire confiance ?

— Pourquoi ? demanda-t-elle, méfiante. Je pourrais être n'importe qui... Une redoutable criminelle qui attend que vous tourniez le dos pour vous dévaliser.

— C'est vrai, mais je ne le crois pas.

A ces mots, il se leva et s'approcha d'elle. Quand ses doigts l'effleurèrent, elle sursauta malgré elle. Il frôla gentiment sa joue bleuie, puis les marques sur son cou.

— Qui vous a fait cela, Delilah ? Votre mari ?

Secouant la tête, elle ferma les yeux pour refouler les souvenirs. Heureusement qu'elle avait retiré son alliance en quittant le domicile conjugal !

— Je... je ne suis pas mariée.

Dans la mesure où c'était son vœu le plus cher, était-ce réellement un mensonge ? Elle aurait divorcé si cela avait été possible... Mais comment divorcer d'un homme qui vous retenait prisonnière ? De toute façon, à cet instant, rien n'avait plus d'importance. Surtout s'il était mort...

Cam n'insista pas.

Il la conduisit jusqu'à la chambre d'amis, une petite pièce meublée d'un lit, d'une table de chevet et d'une armoire. Il alluma une bougie et sortit. Quelques minutes plus tard, il revenait avec de l'eau, de l'aspirine, du sirop et un T-shirt pour la nuit.

Serrant le T-shirt contre sa poitrine, Delilah résista à l'envie d'enfouir la tête dans l'étoffe toute douce...

— Cam, pourquoi êtes-vous si gentil avec moi ? Vous ne me connaissez même pas.

— Disons que je fais ma B.A. du mois. Ne vous posez plus de question et essayez de trouver le sommeil. Surtout n'oubliez pas d'éteindre la bougie avant de vous endormir.

Après quoi, il se dirigea vers la porte. Mais avant d'en franchir le seuil, il se retourna une dernière fois.

— Au cas où je me serais trompé sur vous, Delilah, sachez que la caisse du restaurant est vide et que j'ai le sommeil léger.

Puis il disparut avant qu'elle n'ait le temps de répondre.

Etait-ce un rêve ? Allait-elle se réveiller ? se demanda-t-elle en voulant fermer la porte à clé. Mais il n'y avait ni verrou, ni clé. Et, curieusement, cela lui était égal... Elle aurait pourtant dû être plus méfiante. Personne ne traitait si gentiment une parfaite inconnue. Mais elle n'avait plus l'énergie de se battre. Ces dernières semaines avaient été bien trop éprouvantes. Elle était à bout de forces.

Fuir un meurtrier n'était pas une partie de plaisir !

2.

La tempête empira durant la nuit. Un véritable ouragan menaçait le golfe du Mexique. Au réveil, les habitants du Texas apprirent cependant que c'était la Louisiane qui serait vraisemblablement frappée. Ils n'auraient donc pas à consolider leurs volets ou à évacuer leur maison. A moins que l'ouragan ne change d'avis en cours de route... Toutefois, en raison de la force de la tempête, Cam n'avait pas l'intention d'ouvrir le Perroquet Rouge à midi. Ce qui lui laissait tout loisir de découvrir les secrets que cachait son *invitée*...

Elle avait des ennuis, cela il l'avait compris. Quel genre d'ennuis en revanche, il l'ignorait encore. Son intuition lui disait que le peu qu'elle lui avait révélé n'était pas forcément exact, mais il avait tout le temps voulu pour en apprendre davantage.

— Bonjour, lança-t-elle en entrant dans la cuisine.

Elle avait brossé ses cheveux, et leur masse épaisse et sombre tombait en cascade sur ses épaules. Elle avait remis les vêtements qu'elle portait la veille en arrivant chez lui, c'est-à-dire un jean et un polo rouge plutôt large, qui ne dissimulaient cependant pas son élégance naturelle. Nul doute qu'en tenue de soirée elle devait faire sensation... Mais à l'heure actuelle, elle ressemblait plutôt à une adolescente. Une adolescente effrayée et prête à prendre de nouveau la fuite.

S'éclaircissant la voix, elle poursuivit :

— Merci pour la chambre, les vêtements, l'accueil... Merci pour tout. Je ne peux pas vous rembourser maintenant, mais je vous enverrai de l'argent dès que je serai de nouveau sur pied.

Sur pied ? A cet instant précis, un simple souffle de vent allait la faire tomber !

— Asseyez-vous pour prendre votre petit déjeuner, répondit-il.

— Merci, mais je ne...

— Asseyez-vous, répéta-t-il sur un ton qui n'acceptait aucune discussion.

Lui lançant un regard contrarié, elle obtempéra, et posa son sac à dos à côté d'elle.

— Je m'assois parce que j'ai faim, et non parce que vous me l'avez ordonné, précisa-t-elle.

Un sourire amusé se dessina sur les lèvres de Cam.

— Merci pour la précision. Avez-vous vu le temps ? Voulez-vous partir à la nage ?

Elle jeta un coup d'œil vers la fenêtre ; en effet, la pluie tombait sans relâche et l'océan était blanc d'écume.

— Je ne pense pas que vous souhaitiez que je m'attarde plus longtemps que nécessaire, risqua-t-elle. Je ne comprends d'ailleurs toujours pas pourquoi vous m'avez hébergée.

Il déposa une tasse de café et un bol de céréales devant elle, avant de s'asseoir à son tour.

— Juste par curiosité. Vous ne m'avez toujours pas dit qui ou ce que vous fuyez, Delilah.

Il croisa son regard, un regard aussi sombre qu'une journée d'hiver.

— Il est préférable que vous l'ignoriez.

— Cela dépend. Si c'est la loi que vous fuyez...

— Ce n'est pas le cas, l'interrompit-elle d'un ton sec. Je vous l'ai déjà dit, hier soir.

Avalant une gorgée de café, elle ferma les yeux.

— Mmm... Votre café est délicieux.

L'hématome de sa joue avait presque disparu ; en revanche, les marques qu'elle portait sur le cou étaient toujours bien visibles à la lumière du jour. Une brute avait tenté de l'étrangler... Même si Cam savait que la brutalité policière existait, il ne pouvait pas imaginer qu'un policier soit responsable de ces ecchymoses. Néanmoins, si elle fuyait un petit ami violent, pourquoi ne le disait-elle pas, tout simplement ? Pourquoi mentait-elle ou évitait-elle le sujet ?

— Avez-vous vraiment fait du karaté ? demanda-t-il soudain.

A cette question, elle cessa de manger et le considéra un instant.

— En quelque sorte...

Sceptique, il attendit qu'elle poursuive et ne la quittait pas des yeux.

— Disons que je connais quelques techniques d'autodéfense, conclut-elle, irritée.

Pas assez, cependant, pour échapper aux mains de son tourmenteur, ne put-il s'empêcher de penser.

— Si j'étais certain que vous n'avez pas d'ennuis avec la justice, je pourrais vous aider.

Entamant son deuxième bol de céréales, elle lui jeta un regard suspicieux.

— De quelle façon ?

Ses yeux étaient bleus. D'un bleu profond, indigo, dans lequel un homme pouvait facilement se noyer...

Elle avait peut-être vingt-cinq ans, mais elle avait l'air d'une enfant. Encore que ses yeux ne reflétaient nullement l'innocence de l'enfance...

— Savez-vous servir ? questionna-t-il soudain en s'obligeant à revenir à la réalité. L'une de mes serveuses vient de donner sa démission et il est difficile d'en recruter dans la région.

— Dois-je en déduire que vous m'offrez du travail ?

— Tout à fait. Alors ? Que pensez-vous de ma proposition ?

Le sourire qui illumina alors le joli visage de Delilah la transforma subitement en une créature à couper le souffle. « Assez ! pensa encore Cam, troublé. Elle est bien trop jeune pour toi ! »

— Je suis sûrement la meilleure serveuse que vous aurez jamais ! lui assura-t-elle. Cependant je ne peux pas accepter cet emploi, enchaîna-t-elle en reprenant brusquement un air sombre.

— Pourquoi ? Avez-vous des projets plus intéressants ?

Secouant la tête, elle se leva pour déposer son bol dans l'évier.

— Je ne peux pas figurer sur votre registre du personnel. Et comme vous me semblez un homme honnête et pas du genre à employer les gens sans les déclarer... Merci quand même pour l'offre. C'est très gentil à vous.

Il savait ce qu'il aurait dû faire. Lui dire adieu, lui donner un peu d'argent et renvoyer le problème à un autre. Mais elle l'avait touché. Elle était jeune, seule et manifestement elle avait de sérieux ennuis. De façon tout aussi évidente, c'était une battante. Elle avait juste besoin de se reposer un peu. Et il voulait bien lui offrir cette chance.

— Je vous paierai en espèces, lui proposa-t-il alors.

Devant le regard étonné de Delilah, il ajouta doucement :

— Faites-moi confiance.

— Pourquoi ? s'enquit-elle en plissant les yeux d'un air méfiant. Aujourd'hui, personne ne donne rien pour rien... Si vous croyez que je vais coucher avec vous parce que vous m'aidez, vous vous trompez.

Cam se mit à rire.

— Ecoutez ma jolie, vous n'êtes peut-être pas mineure, mais vous êtes bien trop jeune pour moi. J'ai besoin d'une serveuse, c'est tout. A vous d'accepter ou de refuser le poste.

— Je le prends. Merci.

— Alors, affaire conclue ! lui dit-il en lui serrant la main. Vous pouvez rester dans la chambre d'amis. A moins que vous n'ayez un autre endroit où dormir...

— Pas pour l'instant. Mais je vous paierai un loyer, lui assura-t-elle. D'ailleurs je ne resterai pas longtemps. Je vais chercher un studio par ici.

Il se garda bien de préciser qu'il était improbable qu'elle trouve un studio à louer à Aransas City, en tout cas, pas avec le salaire qu'il lui paierait. Elle aurait tout le temps de le découvrir par elle-même.

— Parfait ! reprit-il. Je vous ferai visiter les lieux plus tard car pour l'instant, à cause de la tempête, je ne vais pas ouvrir l'établissement. Le courant n'est toujours pas rétabli. Vous pouvez vous recoucher, si vous le souhaitez. Vous devez encore avoir de la fièvre.

— Je me sens mieux, maintenant que j'ai un abri.

De nouveau, elle lui adressa son sourire à se damner...

Bon sang ! Il avait passé l'âge de craquer pour un sourire. Passé l'âge aussi de tomber amoureux d'une aussi jeune femme.

— Merci, ajouta-t-elle, le ramenant à la réalité. Sincèrement, j'apprécie ce que vous faites pour moi. Je vous promets que vous ne le regretterez pas.

Lui aussi l'espérait ! Non parce qu'il doutait de l'honnêteté de Delilah, mais plutôt de lui-même...

— Comment faisons-nous pour votre nom ? lança-t-il brusquement.

— Que voulez-vous dire ?

— Dois-je utiliser votre vrai nom ou un faux ?

— Euh... Je n'ai pas réfléchi à la question, avoua-t-elle.

— Depuis combien de temps êtes-vous en fuite ?

— Un peu plus d'une semaine... Je pense qu'il est préférable que je change de nom. Appelez-moi Delilah Roberts, si vous le voulez bien.

— Entendu.

Devant son air dubitatif, il ajouta :

— C'est nouveau pour vous, n'est-ce pas ?

— Quoi, mentir ? Oui. Je ne mens pas très bien.

— La plupart des femmes que je connais sont pourtant très douées dans l'art du mensonge.

Il aurait pu dire *toutes* les femmes, à part ses sœurs. Et, dans ce domaine, il les trouvait un peu trop franches à son goût.

— C'est triste, laissa-t-elle tomber en quittant la cuisine.

Dans quelle galère venait-il de se laisser entraîner ?

se demanda Cam, pensif. Un roulement de tonnerre particulièrement fracassant lui répondit.

Quel que fût son nom, Anne St John ou Delilah Roberts, elle était bien trop séduisante et il n'avait jamais su résister longtemps à la tentation... Allons, elle était trop jeune pour lui, se rappela-t-il pour la énième fois.

Le gros de l'orage étant passé et le courant rétabli, le Perroquet Rouge ouvrit à 16 heures. En dépit de son état encore fébrile, Delilah insista pour commencer à travailler. Il était vrai qu'elle avait pris des médicaments et qu'elle ne toussait presque plus. Cam ne s'opposa donc pas à sa volonté, d'autant qu'aujourd'hui seules la cuisinière et Martha Rutherford, son unique serveuse à plein-temps, étaient venues travailler. Comme toujours après le passage d'un ouragan ou, en l'occurrence, ce qui s'y apparentait, le Perroquet Rouge était bondé. Pourquoi la tempête semblait-elle drainer tous les gens d'Aransas City dans *son* établissement ? La question demeurait un mystère pour Cam.

Son frère Gabe venait de s'asseoir au comptoir. Il lui servit sa bière pression habituelle.

— Cela fait longtemps que je ne t'avais pas vu. Etais-tu en mer ?

En tant que capitaine d'un chalutier, Gabe passait beaucoup de temps sur l'océan. Il avait le teint basané d'un marin, et ses yeux bleus étaient souvent injectés de sang, à cause du vent du large.

— Je viens juste de rentrer de Port Lacava. Dis-moi, comment se fait-il que le mauvais temps fasse sortir tous les habitants de chez eux pour les faire échouer chez toi ?

— Je l'ignore, mais ce n'est pas moi qui vais m'en plaindre, répondit Cam en balayant du regard la salle pleine à craquer.

— Waouh ! Qui est cette nouvelle serveuse ? Une vraie beauté ! s'exclama subitement Gabe.

Cam, qui était en train d'essuyer des verres, s'arrêta un instant et répondit de mauvaise grâce :

— Elle s'appelle Delilah Roberts.

— C'est la dernière en date ?

— Non, répondit sèchement Cam.

Il détestait la manière dont Gabe désignait ses petites amies. Mais il devait bien reconnaître que le terme était assez proche de la réalité dans la mesure où il ne sortait jamais plus d'un ou deux mois avec la même femme. Comme il refusait les relations sérieuses, c'était mieux ainsi. D'ailleurs, ses partenaires ne s'en plaignaient pas, ne recherchant pas non plus le long terme.

Mais cette fois, ces mots dans la bouche de son frère l'avaient irrité. Delilah n'avait rien d'une « dernière en date ».

— Contrairement à toi, reprit Cam, je ne les prends pas au berceau. C'est une gamine qui traverse une mauvaise passe. Je l'aide, c'est tout.

Les yeux fixés sur Delilah qui était en train de prendre une commande, Gabe déclara alors, un sourire de connaisseur aux lèvres :

— Elle traverse peut-être une mauvaise passe, mais ce n'est plus une enfant, frérot.

En cela, Gabe avait raison, pensa Cam. Si le visage de Delilah n'accusait pas son âge, elle n'était plus une enfant... Heureusement pour lui, un client et ami de son frère vint le rejoindre au comptoir et la discussion sur Delilah prit fin.

Quelques minutes plus tard, Martha vint lancer une commande.

— Je ne sais pas où tu as déniché cette fille, Cam, mais je te conseille de la garder. C'est la meilleure serveuse que nous ayons eue depuis que j'ai commencé à travailler pour toi.

— Ne t'enthousiasme pas trop vite, ma belle, je ne crois pas qu'elle va rester bien longtemps chez nous.

— C'est toujours ainsi, soupira Martha en prenant son plateau. Les bons ne s'attardent jamais.

De toute évidence, Delilah avait déjà été serveuse. Elle était rapide et efficace. Mieux encore, elle paraissait prendre du plaisir à son travail. Cam avait eu de nombreuses employées convenables, mais qui, hélas, ne rêvaient que d'une chose : trouver un autre emploi le plus vite possible. Si Delilah aimait son travail, pourquoi l'avait-elle quitté ? Par quel concours de circonstances s'était-elle retrouvée à la rue, en fuite ? Que s'était-il donc passé de si grave ?

Une voix l'arracha subitement à ses rêveries.

— Hé, Cam, tu m'en ressers une ?

Il remplit une nouvelle chope de bière qu'il fit glisser sur le comptoir, vers son frère.

— Autant te prévenir, c'est la dernière pour ce soir.

Lorsque Gabe avait un peu trop bu, il restait dormir chez Cam. Or ce soir, la chambre d'amis était déjà occupée.

— Pourquoi ? Tu as un rendez-vous galant ?

— Non, ce n'est pas la question.

Heureusement, avant que Gabe ne puisse renchérir, un client appela Cam. Après quoi, il fut si occupé qu'il ne trouva pas le temps de discuter avec son frère. Et Gabe resta vissé sur son tabouret, manifestement peu enclin à partir. A l'heure de la fermeture, il était toujours là.

Martha et Delilah avaient essuyé toutes les tables et commençaient à placer méthodiquement les chaises dessus tandis que Cam lavait le comptoir à grande eau.

— Que fais-tu encore ici ? demanda-t-il à Gabe. Je t'ai pourtant prévenu que je ne te reconduirai pas chez toi.

— Ce n'est pas grave...

Levant sa chope de bière presque vide, Gabe ajouta :

— Cela fait une heure que je sirote la même et je suis tout à fait en état de prendre le volant. Pour en revenir à notre petite discussion de tout à l'heure, si tu n'as pas de rendez-vous, qu'est-ce qu'il se passe ?

— Rien.

Tôt ou tard, il devrait annoncer à Gabe que Delilah dormait dans la chambre d'amis... Seulement, il n'avait pas envie de le faire maintenant. Il savait bien que son frère lui rirait au nez s'il lui disait que l'intérêt qu'il portait à Delilah était d'ordre purement platonique.

Platonique ? Vraiment ? interrogea alors une petite voix moqueuse.

Ah ! Si elle avait eu cinq ou six ans de plus, et si elle n'avait pas travaillé pour lui... Mais ils avaient quatorze ans d'écart, et elle était son employée. Aussi devait-il oublier ses pensées vagabondes !

— Nous avons fini, Cam, déclara Martha en s'avançant vers le bar. Je peux déposer l'argent de la caisse à la banque, si tu le souhaites.

— O.K. Je te le donne dans une minute.

Chaque soir, il déposait ou faisait déposer les espèces

à la banque. Le Perroquet Rouge n'avait jamais été cambriolé et Cam ne voulait pas tenter le sort.

— Bonjour mon client préféré ! lança Martha à Gabe. Je n'ai pas eu le temps de tailler un brin de causette avec toi, ce soir. Alors, t'es-tu trouvé une petite amie, depuis la dernière fois ?

Gabe lui adressa un sourire enjôleur.

— Mais je t'attends, chérie. Quand vas-tu te décider à quitter ton mari pour partir avec moi ?

Martha se mit à rire, comme chaque fois que Gabe et elle échangeaient ce genre de plaisanterie. Elle interpella alors Delilah qui passait la serpillière.

— Viens par ici que je te présente le frère du patron !

Puis, donnant un coup de coude à Gabe, elle ajouta doucement :

— Jolie, non ?

Delilah se contenta de leur lancer un bref coup d'œil, sans interrompre son travail.

— Je finis de passer la serpillière, répondit-elle.

— Cam peut s'en charger. Un peu d'exercice lui fera le plus grand bien.

— Je finis toujours ce que j'ai commencé, répliqua Delilah.

Mais au bout de quelques minutes, ayant terminé, elle se sentit obligée de les rejoindre.

Cam était allé dans son bureau chercher le sac nécessaire au dépôt d'argent à la banque. A son retour, il devina immédiatement que Gabe avait fait des avances à Delilah et que cette dernière les avait repoussées. Il comprit même, étant donné l'ambiance tendue qui régnait dans le bar et le regard furieux que Delilah lui lança quand elle l'aperçut, qu'elle avait repoussé ses avances d'une manière tout à fait claire et sans détour.

Quant au comportement de Gabe, il ne le surprenait guère. Son frère appréciait les jeunes et belles femmes et n'hésitait jamais à tenter sa chance dès qu'il en rencontrait une. Et il fallait reconnaître que, même en jean et en T-shirt, Delilah avait une sacrée allure.

Ce qui l'étonnait en revanche, c'était l'irritation qu'il ressentait envers son frère et la forte envie qu'il éprouvait de protéger Delilah... La protéger de Gabe ? Etait-il jaloux ?

— Il semblerait que tu en aies été pour tes frais, lança-t-il d'un air moqueur à l'adresse de ce dernier.

— Quelle pécore ! fit Gabe en jetant un regard noir à Delilah qui s'activait derrière le bar sans lui prêter la moindre attention. Je te jure que je lui ai juste demandé si elle se plaisait ici et si elle n'avait pas envie de faire un tour en mer avec moi, lors de son jour de repos.

— Mais quel besoin as-tu, toi aussi, de toujours flirter avec mes nouvelles serveuses ? répliqua Cam.

— Franchement, je ne comprends pas pourquoi elle s'est emportée alors que je l'invitais gentiment sur mon bateau. Elle ne serait pas lesbienne, par hasard ?

— Pourquoi ? Parce qu'elle t'a envoyé sur les roses ? Non, Gabe, je ne crois pas, dit Cam en éclatant de rire.

A cet instant, Delilah s'approcha d'eux, un broc à la main.

— Où rangez-vous cela ? demanda-t-elle à Cam.

— Au-dessus du bar. Mais laissez, je vais m'en charger.

— Dites-moi, Delilah, de quelle ville êtes-vous originaire ? questionna alors Gabe.
— De la région, fit-elle, évasive.
— D'où, exactement ?
— Une petite ville au nord d'ici, marmonna-t-elle. Vous ne la connaissez sûrement pas.
Il était manifeste qu'elle n'avait pas envie de parler, et la plupart des gens auraient abandonné.
Pas Gabe.
— Je connais de nombreuses villes du Texas, insista-t-il. Surtout sur la côte... Venez-vous de la côte ?
— Non, répondit Delilah, tendue. Je viens... d'Alice. Vous connaissez ?
Aïe... Alice était une bourgade située à l'ouest. Pas au nord ! Cam fit la grimace. Gabe et lui avaient traversé cette ville le mois dernier...
— Cela ne me dit rien, répondit Gabe d'un air pensif.
Il adressa alors un regard interrogateur à Cam. Mais ce dernier n'y prit pas garde et se contenta de tendre le sac rempli d'argent à Martha qui, enfilant sa veste, proposa à Delilah de la déposer quelque part.
— Non merci, Martha.
Mais Martha avait aussi la fâcheuse habitude d'insister...
— Je sais que tu n'as pas de voiture et il n'y a pas de bus de nuit, à Aransas City. Je t'assure que cela ne me dérange pas. Laisse-moi te raccompagner.
Sans répondre, Delilah jeta un regard désespéré à Cam. Ce dernier jura en silence et répondit à sa place :
— Delilah n'a pas besoin que tu la déposes, Martha. Elle habite ici pour l'instant.
— Ah, ah ! s'exclama Gabe, un grand sourire aux

lèvres. Je comprends mieux... Pourquoi ne l'as-tu pas dit tout de suite, Cam ?

— Quoi ? Elle dort ici ? En haut ? renchérit lourdement Martha, les yeux ronds.

— Exact, affirma Cam d'un ton neutre.

— Je croyais que tu ne prenais jamais de pensionnaires, lui fit observer son employée.

Gabe éclata de rire.

— Oh, mais... pour une fille comme Delilah, il veut bien faire une exception ! N'est-ce pas frérot ?

— Tais-toi, Gabe ! lui ordonna Cam. Et toi, Martha, mêle-toi de tes affaires.

— O.K., j'ai compris. Je ne suis pas une commère, si c'est cela que tu insinues.

En temps normal, ce commentaire l'aurait amusé ; il était de notoriété publique que Martha avait la langue bien pendue. Mais il n'avait pas envie de rire, et il dut se retenir pour ne pas décocher un coup de poing bien senti à son frère et à son large sourire entendu !

— Ce n'est pas ce que tu crois, Gabe, le prévint-il d'un ton menaçant.

— Ai-je dit quelque chose ? se défendit ce dernier en levant les mains pour protester de son innocence.

— Tu allais le faire.

— Je m'en garderais bien ! Tes affaires ne me regardent pas.

— Effectivement, approuva Cam.

Hélas ! Il connaissait trop bien Gabe pour savoir qu'il n'en resterait pas là.

— Viens, Martha, fit ce dernier d'un air faussement vexé. On nous met à la porte. Ces deux-là ont envie d'être seuls.

Martha lança un dernier regard à Cam et Delilah, puis lui emboîta le pas.

Comme il s'apprêtait à franchir le seuil, Gabe se retourna brusquement et fixa Delilah.

— Cela me revient, à présent. Je connais cette ville... Alice... Elle se trouve à soixante kilomètres d'ici. A l'ouest, pas au nord.

Là-dessus, il fit un signe de la main et s'éclipsa.

Delilah considéra la porte close puis, levant les yeux vers Cam, s'exclama :

— Et zut ! Je vous avais bien dit que je ne savais pas mentir !

3.

Un long silence suivit le départ de Gabe et de Martha.

— Ne pouviez-vous donc pas donner le nom d'une ville qui se trouve *vraiment* au nord d'ici ? lui demanda enfin Cam sur un ton de reproche.

Posant ses mains sur ses hanches, Delilah répliqua, furieuse :

— J'ai été prise de court ! Je ne m'attendais pas à subir un interrogatoire en règle ! C'est une coutume de bienvenue propre à Aransas City ?

— Oui, bon. Je sais, mon frère est parfois impossible. Cependant, pourquoi ne pas avoir dit la vérité ? Houston est une grande ville, cela ne prêtait pas à conséquence.

La vérité ? Comment dire la vérité alors qu'un tel aveu pouvait la conduire en prison ? Ou pire encore, lui coûter la vie...

— La ville d'où je viens ne regarde pas votre frère.

— Exact, reconnut Cam en allant verrouiller la porte du restaurant. En revanche, cela *me* regarde, ajouta-t-il en éteignant les lumières.

— Vous savez que je viens de Houston, vous avez vérifié mes papiers d'identité, il me semble.

— Oui, mais c'est tout ce que je sais de vous.

Puis, sans ajouter un mot, il regagna les cuisines.

Delilah devait bien admettre qu'il avait raison. Cameron Randolph avait eu la gentillesse de lui offrir le gîte et le couvert et, plus important encore, de lui procurer un emploi. De son côté, elle l'avait remercié en lui mentant. D'ailleurs, pour une personne qui prétendait mal mentir, elle avait proféré beaucoup de mensonges, aujourd'hui…

Lorsqu'elle arriva en haut des escaliers, Cam était déjà dans sa chambre. Devait-elle aller lui parler maintenant ? se demanda-t-elle en hésitant devant la porte fermée. Au moment où elle s'apprêtait à frapper, celle-ci s'ouvrit.

Cam se découpa soudain dans l'encadrement, vêtu d'un simple jean, torse nu… Tout en ayant conscience qu'elle commettait une erreur, Delilah laissa son regard glisser sur son torse puissant aux muscles bien dessinés… Cet homme était vraiment d'une beauté troublante, et l'attirance qu'elle ressentit pour lui à cet instant était tout aussi troublante…

Par instinct, elle refoula sa pulsion, car ce genre d'élan l'avait déjà conduite à la catastrophe.

D'ailleurs, Cam ne paraissait pas franchement ravi de la voir. S'appuyant contre le chambranle, il fronça les sourcils.

— Que voulez-vous, Delilah ?

— Je sais que vous m'en voulez et je ne vous en blâme pas. Toutefois, ce n'est pas par caprice que je ne tiens pas à évoquer mon passé.

— Quelles que soient vos raisons, mentir n'est pas

une solution. Les mensonges finissent toujours par vous rattraper et se retourner contre vous.

— Je sais, dit-elle en se mordant la lèvre.

Elle aurait tant aimé se confier à lui ! Malheureusement, elle ne pouvait prendre un tel risque.

— Je suis désolée, je ne peux rien vous dire pour l'instant.

— A cause de cela ? questionna-t-il alors en effleurant doucement les marques sur son cou. Vous redoutez leur auteur, n'est-ce pas ?

Ses doigts étaient chauds et doux...

Elle était tout près de lui, si près qu'elle aurait pu poser sa tête sur son torse. Elle en mourait d'envie. Une envie urgente, insensée... Une odeur enivrante émanait de lui, une fragrance toute masculine qui conjuguait le musc et la bruyère... Elle sentait la chaleur de son corps irradier le sien... Leurs regards s'enchaînèrent. Inconsciemment, elle fit un pas vers lui.

Mais elle se recula vivement, et il laissa retomber sa main le long de son corps, brisant l'instant magique.

— En partie, répondit-elle enfin d'une voix mal assurée.

De toute évidence, la réponse ne le satisfit pas et il afficha de nouveau un air agacé, ce dont elle se félicita. Son irritation, elle pouvait la gérer, ce qui n'était pas le cas de sa sincérité et de sa gentillesse qui la désarmaient. Sans parler de sa sensualité...

— En partie ? répéta-t-il d'un ton sombre. Et je présume que vous n'avez pas l'intention de me raconter le reste de l'histoire.

Elle secoua la tête, attendant qu'il la congédie.

Il la scruta longuement... Ses prunelles étaient impénétrables.

— Allez dormir, lui dit-il enfin. Les dimanches sont en général de rudes journées.

Après quoi, il referma la porte de sa chambre.

— Merci, dit-elle devant la porte close, soulagée qu'il ne la jette pas à la rue.

Pour la première fois depuis longtemps, aucun cauchemar ne la réveilla au milieu de la nuit. En revanche, un certain blond, particulièrement sexy, hanta ses rêves...

Ainsi que Cam l'avait prédit, le Perroquet Rouge affichait complet à midi. Delilah effectua son travail consciencieusement, non sans observer d'un œil discret son patron et les clients, afin de mieux appréhender son nouvel environnement.

Durant l'accalmie de l'après-midi, elle constata avec amusement que Martha avait une concurrente dans le domaine de la médisance. Il s'agissait de Rachel, une serveuse à mi-temps. Elle avait dix-neuf ans, des cheveux aussi blonds que crépus, et exhibait fièrement deux piercings : un anneau au sourcil et une pierre au nombril. Elle portait aussi un nombre impressionnant de bagues. A l'heure actuelle, elle se plaignait du manque d'hommes célibataires à Aransas City. Après avoir fait une bulle avec son chewing-gum, elle déclara en matière de conclusion :

— Ici, les rares célibataires sont des imbéciles.

Un sourire attendri éclaira le visage de Delilah. Avait-elle jamais été aussi insouciante et intransigeante ? Elle ne s'en souvenait pas. Sa mère était décédée alors qu'elle n'avait que seize ans, et depuis, elle avait dû subvenir seule à ses besoins.

Désignant Cam du menton, elle demanda :

— Et lui, il est bien célibataire, non ? Le ranges-tu au nombre des imbéciles ?

— Cam ? Oh non ! Il est très sexy. Je parlais des garçons de mon âge. Et puis Cam ne sort qu'avec des canons. Tu sais, le genre de femmes à la poitrine généreuse. Même si je le voulais, je ne pourrais pas rivaliser, déclara-t-elle en jetant un regard affligé vers sa poitrine.

Evaluant rapidement Delilah du regard, elle ajouta :

— Toi, en revanche, tu pourrais te mettre sur les rangs. Il faudrait juste que tu changes de garde-robe.

— Merci du conseil, répondit Delilah en riant. Mais je m'abstiendrai.

— De toute façon, Cam ne flirte pas avec ses employées. Par principe, selon Martha. Ce qui est tout à son honneur...

— Je m'en souviendrai, fit Delilah.

— Par contre Cam a un frère, plus jeune que lui. Très sexy, lui aussi, mais différent. Il est capitaine de chalutier.

— Gabe ? J'ai fait sa connaissance hier, dit Delilah en se renfrognant, repensant à son altercation avec ce personnage arrogant.

Gabe Randolph semblait ne pas beaucoup l'aimer. Pouvait-elle l'en blâmer ? Elle n'avait pas été très diplomate avec lui. Et bien sûr, le fait qu'elle lui ait menti au sujet de sa ville d'origine et qu'il s'en soit rendu compte n'avait rien arrangé.

— Tu n'as pas l'air de l'apprécier, observa Rachel. Pour ma part, je n'ai pas à m'en plaindre, il est très sympa avec moi. Tiens, quand on parle du loup...

Gabe venait d'entrer dans le bar et se dirigea sans hésiter vers ce qui devait être sa place habituelle. Delilah l'évita soigneusement jusqu'à ce qu'elle soit contrainte de s'approcher du bar pour passer une commande. Il était en grande conversation avec Cam, et les deux frères étaient tellement absorbés par leur discussion qu'ils ne remarquèrent pas sa présence.

— Je pense simplement que tu devrais être plus vigilant sur le personnel que tu emploies, disait Gabe.

— Ce ne sont pas tes affaires, répliqua Cam. Delilah n'est pas une fille à problèmes.

— C'est une menteuse, riposta son frère. Sais-tu seulement d'où elle vient ? Parce que je peux t'assurer qu'elle n'est pas originaire d'Alice.

Devant le silence de Cam, Gabe poursuivit :

— Sais-tu d'ailleurs la moindre chose à son sujet ? A-t-elle des références ?

— Depuis quand t'intéresses-tu à ce genre de détail, toi qui emploies des matelots sans autre garantie que leur propre parole et leur bonne mine ?

— Je sais reconnaître d'instinct les gens honnêtes, moi ! Et ta nouvelle serveuse, elle a quelque chose à cacher, cela saute aux yeux.

A cet instant, Cam remarqua la présence de Delilah.

— Assez ! N'en parlons plus ! conclut-il d'un air gêné.

Gabe se retourna et observa tranquillement Delilah. Il ne paraissait pas du tout embarrassé qu'elle ait entendu leur conversation, et son regard était encore plus hostile que la veille. Regardant de nouveau son frère, il laissa tomber sombrement :

— Tu cherches les ennuis, Cam.

Se retenant pour ne pas intervenir, Delilah s'éloigna vivement du bar.

Plus tard dans la journée, alors qu'elle lavait des verres derrière le bar et que Cam était descendu à la réserve chercher une caisse de bières, une jeune femme entra, précédée d'une poussette. Elle se dirigea sans hésitation vers le comptoir et prit l'enfant dans ses bras.

— Vous devez être la nouvelle serveuse ? demanda-t-elle en tendant la main à Delilah. Je suis Gail Kincaid, la sœur de Cam. Et voici Jason, mon fils.

— Enchantée. Je m'appelle Delilah, répondit cette dernière en lui serrant la main. Cam est dans la réserve. Je vous apporte la carte ?

— Non merci, j'attends mon mari. Nous devons dîner ensemble.

Quelques minutes plus tard, Cam revenait de la réserve… au moment précis où le bébé éclatait en sanglots. Avec le plus grand naturel, Cam prit l'enfant dans ses bras et le mit sur son épaule, tout en lui racontant sa journée avec le plus grand sérieux. En un rien de temps, le nourrisson cessa de pleurer et se mit à gazouiller.

Manifestement, Cam aimait les enfants et ces derniers le lui rendaient bien, pensa Delilah, attendrie. Selon Martha et Rachel, il était très proche de sa famille. Nul doute que ses sœurs et frère venaient souvent au Perroquet Rouge. C'était également un bon patron ; ses employés ne tarissaient pas d'éloges à son sujet.

Alors comment se faisait-il que cet homme si parfait ne fût pas encore marié ?

Et après tout, qu'est-ce que cela pouvait bien lui faire ? se corrigea-t-elle aussitôt. Elle était serveuse et ferait mieux de s'occuper de son travail de serveuse. De plus, elle ne resterait pas assez longtemps ici pour trouver une réponse à toutes les questions qu'elle se posait.

Cam redonna son neveu à sa sœur.

— Cet enfant a de la voix ! Remarque, il n'a rien à envier à ses sœurs au même âge. A propos, où sont les chers anges ? Pourquoi ne les as-tu pas emmenées avec toi ?

— Rassure-toi, Mel et Roxy vont bien. Elles sont avec Barry, répondit Gail, faisant allusion à son premier mari.

— As-tu vu Gabe, aujourd'hui ?

— Oh ! Nous nous sommes entraperçus, répondit Gail d'un ton détaché. Pourquoi ?

— Parce que je connais Gabe et que je te connais aussi, enchaîna Cam avec un air entendu. Il t'a envoyée à la pêche aux informations... Est-ce que je me trompe ?

— Non, avoua-t-elle en riant. Je l'admets... Il m'a chargée de te soutirer sous la torture des renseignements au sujet de ta nouvelle serveuse !

— Et bien sûr, tu t'es empressée d'obtempérer !

— Que veux-tu, il a aiguisé ma curiosité ! se défendit Gail. Je ne pensais pas te contrarier en venant faire sa connaissance.

Elle jeta un bref regard à Delilah, à l'autre bout de la salle, puis, tournant de nouveau la tête vers son frère, ajouta :

— Selon Gabe, elle habite chez toi. Elle est un peu plus jeune que les femmes que tu fréquentes habituellement, non ?

Cam serra les dents. Son frère avait décidément eu la langue bien pendue.

— Delilah n'est *pas* ma petite amie. Je lui prête ma chambre d'amis. Elle a quelques problèmes en ce moment et nulle part où aller.

— Si tu le dis...

De nouveau, Gail observa Delilah.

— Elle est vraiment très jolie. Es-tu certain qu'elle ne t'intéresse pas ?

— Sûr et certain, affirma crânement Cam.

« Menteur ! », lui cria une petite voix intérieure. Il n'avait pas fermé l'œil de la nuit à cause d'elle...

Elle était plus que jolie, elle était belle. Et alors ? Il avait eu son compte de belles femmes, non ? Que possédait donc Delilah qui l'attirait tant ? Etait-ce parce qu'elle avait des ennuis ?

A cet instant, Jay entra dans le bar et se dirigea vers eux.

— Bonjour, Cam, dit-il.

Il déposa un léger baiser sur les lèvres de Gail puis, prenant son fils dans ses bras, poursuivit :

— Je me damnerais pour une assiette de crevettes grillées !

— Comme toujours ! commenta Cam en souriant. Le problème, c'est que je ne peux pas passer ta commande car ta femme est en train de me cuisiner sur ma vie privée. Ne peux-tu donc pas la maîtriser ?

Jay éclata de rire.

— Désolé de te décevoir, mais il y a longtemps que j'ai compris qu'il ne fallait pas se mêler des affaires familiales de Gail.

— Moi qui comptais sur la solidarité masculine, grommela Cam.

— Navré, mais la beauté féminine triomphe de tout, répliqua Jay d'un ton rieur.

Il se pencha alors vers sa femme pour lui piquer un baiser dans le cou.

Gail, de son côté, ne désarmait pas.

— Quel âge a Delilah ?

Devant la mine renfrognée de son frère, elle s'empressa d'ajouter :

— Je te jure que c'est ma dernière question !

— Vingt-cinq ans, lâcha-t-il du bout des lèvres.

— Jay est plus jeune que moi et nous nous entendons parfaitement bien. Tu sais, Cam, ce ne serait pas un crime si tu t'intéressais à elle.

— Ce n'est pas le cas, répliqua son frère en tâchant d'être convaincant.

Au moment de la fermeture, Delilah parvint enfin à poser à Martha la question qui la tracassait depuis le début de la journée.

— Connais-tu des studios à louer par ici ? Ou bien des chambres ? L'important, c'est que ce soit bon marché.

— L'immobilier est un secteur sinistré à Aransas City, ma belle. Les seuls appartements qu'il soit possible de louer se trouvent en dehors du centre-ville, et les loyers sont rédhibitoires. Tu ferais mieux de rester ici et de te réjouir d'avoir un toit.

Dès que le dernier employé fut parti, Delilah se planta devant Cam et exigea des explications.

— Pourquoi ne m'avez-vous pas signalé qu'il était impossible de louer des chambres à Aransas City ?

Il lui jeta un regard oblique puis se remit à calculer la recette du jour.

— Qu'est-ce que cela peut faire ? marmonna-t-il enfin. Vous n'avez pas les moyens de payer un loyer. Je vous ai dit que vous pouviez rester ici. Ne vous inquiétez donc pas pour cela.

Le cœur de la jeune femme fit un bond dans sa poitrine.

« Je prendrai soin de toi. Tu n'auras plus jamais à te faire du souci. » Ces phrases la hantaient encore... Quelle aurait été sa vie, aujourd'hui, si elle n'avait jamais rencontré Avery ? Si elle n'avait jamais cru à ses mensonges subtils, n'était pas tombée dans le piège de sa stratégie bien huilée ? Une chose était certaine : elle ne se serait pas retrouvée dans une situation aussi cauchemardesque.

— Restons-en là ! déclara-t-elle brusquement.

Retirant son tablier, elle le tendit à Cam.

— Et il est inutile de me payer. Cela couvrira les frais de mon séjour chez vous.

Il la regarda attentivement et sembla réfléchir un instant.

— Ne soyez pas ridicule, Delilah. Nous sommes dimanche soir, il est 23 heures, il pleut... Vous avez vingt dollars en poche et aucun endroit où aller. A part ici.

« Tu n'as aucun endroit où aller, personne qui se soucie de toi. Tu es seule... Seule... Tu n'as que moi au monde, et tu n'auras jamais que moi... Tu es à moi... Tu ne peux pas survivre sans moi... Tu ne me quitteras jamais. »

Elle se mit à trembler. Des gouttes de sueur perlèrent subitement sur son front, sa gorge se serra affreusement. Ses oreilles se mirent à bourdonner et le bar à tournoyer...

Immédiatement, Cam la fit asseoir sur une chaise et la pria de pencher la tête bien en avant. Elle l'entendit maugréer puis s'éloigner. Quelques secondes plus tard, il revenait avec un sac en plastique et lui ordonnait de respirer dedans, toujours dans la même position.

Progressivement, elle reprit le contrôle d'elle-même et le malaise se dissipa. Les propos de Cam avaient réveillé ses pires peurs, des visions de cauchemar qui étaient d'autant plus effrayantes qu'elles ne sortaient pas de son imagination, mais étaient bel et bien réelles.

Accroupi près de la chaise, Cam lui demanda d'une voix inquiète :

— Ça va mieux ?

Delilah se redressa et hocha la tête.

— Désolée... J'ai eu une crise d'angoisse.

— Voulez-vous en parler ?

— Je ne peux pas, murmura-t-elle à contrecœur en essayant de reprendre ses esprits.

Elle restait terrifiée à l'idée que Cam ne soit pas aussi sympathique qu'il en avait l'air, et redoutait que son récit ne lui paraisse incohérent. Qui croirait en effet qu'un avocat respecté de tous comme Avery puisse se transformer en un monstre cruel dès lors qu'il avait franchi le seuil de son domicile ?

Cam se releva puis s'assit sur une chaise, en face d'elle.

— Ecoutez, Delilah, il est manifeste que quelque chose vous terrorise. Je conçois que vous ne vouliez pas m'en parler car nous nous connaissons à peine. Cependant, vous avez besoin de vous confier à quelqu'un et selon moi, vous devriez vous rendre au commissariat de police pour raconter votre histoire.

A ces mots, un petit rire triste échappa à Delilah.

— C'est impossible.

Etant donné les nombreuses relations, la plupart haut placées, qu'Avery comptait dans la police, elle était pieds et poings liés.

— Dans ces conditions, confiez-vous à moi.

Ses yeux étaient d'une couleur bien particulière, remarqua soudain Delilah. Un gris clair, ombré par de longs cils qui les rendaient plus sombres qu'ils n'étaient réellement... En tout état de cause, un regard séduisant dont il connaissait assurément le pouvoir. D'après ce qu'elle avait entendu dire sur lui, Cameron Randolph aimait les femmes, et l'attirance était réciproque. Elle comprenait pourquoi. Elle-même aurait facilement succombé à la sincérité de ces beaux yeux...

Tout à coup, elle se ressaisit. Où avait-elle la tête ? Elle ne pouvait faire confiance à personne. Ne pouvait compter sur personne, à part elle-même.

A cet instant, Cam posa gentiment sa main sur les siennes et demanda :

— Vous a-t-on violée ? Est-ce cela que vous avez si peur de confier à une tierce personne ?

Les yeux de Delilah se remplirent de larmes.

— Ce n'est pas si simple...

Elle entendait encore Avery lui marteler qu'elle lui devait obéissance. Obéissance ! Comme si elle était un chien et lui son maître ! Elle revoyait son sourire mauvais quand il la menaçait de lui apprendre le respect, comme à sa première femme.

Sa première femme... Oh, mon Dieu ! Elle préférait ne pas songer à la malheureuse. Elle n'allait pas s'en sortir, si elle pensait au sort qu'il lui avait réservé. Ou plus exactement à ce qu'elle le suspectait d'avoir commis. Car elle n'avait aucune preuve, à part le journal intime de la disparue et l'intuition qu'elle-même devait fuir son bourreau le plus rapidement possible.

— A-t-il essayé et vous êtes-vous enfuie à temps ? insista néanmoins Cam.

— Je... je ne peux rien vous dire, bredouilla-t-elle. Je me suis enfuie... je m'en suis sortie.

— Comment puis-je vous aider si vous refusez de me parler ?

— Il ne m'a pas violée, décréta-t-elle alors d'un ton catégorique.

— Mais il vous a frappée. J'ai vu les traces sur votre cou, ne l'oubliez pas. Vous pouvez encore porter plainte contre lui.

Non, elle ne le pouvait pas. La police de Houston ne la croirait jamais. Avery y veillerait.

— Non !

— Enfin, Delilah ! s'emporta Cam. Ce sinistre individu ne peut pas s'en tirer à si bon compte. Je vous accompagnerai au commissariat, si vous le souhaitez.

— Non ! s'écria-t-elle de nouveau en lui saisissant le bras. Je n'irai pas à la police.

— Pourquoi ?

— Parce que quand je me suis enfuie je...

C'était absurde de lui faire confiance, inconscient de livrer son secret à un homme qu'elle connaissait à peine...

— Allons, dites-moi ce qu'il s'est passé, insista-t-il d'une voix douce. Cela ne doit pas être si terrible.

— Je crois que je l'ai tué.

4.

Pendant quelques secondes, Cam se contenta de la fixer sans rien dire.

— Vous l'avez *tué* ? finit-il par répéter.

C'était bien la dernière révélation à laquelle il s'attendait !

— Oui… Non… Enfin, je ne sais pas ! s'écria Delilah en ouvrant de grands yeux désespérés. Mon Dieu, comment ai-je pu vous confier cela ? ajouta-t-elle d'une voix brisée en se précipitant hors de la pièce.

Lorsqu'il la rejoignit dans sa chambre, ce fut pour la découvrir sur le pied de guerre, sac à dos sur l'épaule, le visage fermé et résolu. Croisant les bras, il se planta dans l'encadrement de la porte, bien décidé à ne pas la laisser partir. Plus maintenant ; cet aveu de meurtre cachait autre chose.

— Vous n'irez nulle part tant que vous ne m'aurez pas tout raconté, la prévint-il.

— Laissez-moi passer, lui répondit-elle d'un air buté.

Cam ne bougea pas d'un pouce.

— Je vous ai dit qu'il se pouvait que j'aie tué un homme. Par conséquent, vous hébergez peut-être une meurtrière. Cela ne vous préoccupe-t-il donc pas ?

Elle paraissait si jeune... et si tragiquement sérieuse ! Quoi qu'il se fût passé, il aurait parié son restaurant qu'il ne s'agissait pas d'un crime commis de sang-froid. Toujours sans un mot, il l'entraîna vers le salon.

— Asseyez-vous et ne bougez plus, lui ordonna-t-il. Je vais vous servir un verre et vous me raconterez ce qu'il s'est passé exactement.

Delilah sentit alors son envie de lutter s'évanouir et elle se laissa tomber sur le canapé.

— Vous êtes fou...

Il sortit deux verres.

— Un scotch ? proposa-t-il.

— Comme vous voudrez...

Il lui tendit un verre, s'installa à côté d'elle et attendit.

Elle avala une première gorgée d'alcool en faisant la grimace et caressa un instant les incrustations taillées dans le cristal du verre avant de se lancer :

— L'homme avec qui je... je sortais n'était pas comme je le croyais. Je suis tout de même restée avec lui, espérant que notre couple allait finir par fonctionner. Mais il devenait chaque jour plus possessif, plus autoritaire... Finalement, après... Bref, cela n'a pas d'importance. Un jour j'ai compris que je devais le quitter.

Elle avala une autre gorgée de scotch, les doigts crispés sur son verre. Elle parlait lentement, comme si son récit lui coûtait de gros efforts.

— Quand je lui ai annoncé ma décision, il s'est mis en colère. Je ne l'avais jamais vu dans une telle rage auparavant... Il a alors commencé à me gifler...

Elle ferma les yeux un instant et ses épaules s'affaissèrent imperceptiblement comme si elle revivait la scène.

— Il m'a finalement donné un coup de poing et je suis tombée. Quand je suis revenue à moi, j'étais enfermée dans une chambre, au premier étage de la maison.

— Le mufle ! Il vous a séquestrée ?

Elle acquiesça et continua :

— Chaque fenêtre était dotée d'un système d'alarme. Je ne pouvais donc pas m'enfuir sans attirer son attention. Il m'a prévenue qu'il me laisserait sortir lorsque je serais redevenue raisonnable.

A cet instant, Delilah tourna vers Cam de grands yeux remplis d'incompréhension et de tristesse.

— Oui, « raisonnable », ce sont ses propos... C'était lui qui me brutalisait et c'était moi qui étais censée être *raisonnable*.

Cam serra les poings. S'il avait croisé ce tyran, il l'aurait rossé en bonne et due forme pour lui faire passer l'envie de recommencer. Mais il ne dit rien et laissa Delilah poursuivre son histoire.

— Je suis restée plusieurs jours enfermée. Il m'apportait tous mes repas. Mais il y mettait des somnifères ! J'ai cessé de m'alimenter quand je m'en suis rendu compte. Je me suis alors contentée de boire de l'eau au lavabo de la salle de bains attenante à la chambre.

— Que s'est-il passé ensuite ?

— Il est peu à peu devenu moins vigilant, pensant que les somnifères faisaient leur effet. Un jour qu'il m'apportait un plateau, j'ai saisi ma chance et j'ai bondi vers la porte. Mais il m'a rattrapée sur la première marche de l'escalier et il a commencé à m'étrangler, jurant qu'il allait me tuer pour ce que j'avais osé faire. Je me suis débattue et lui ai donné un coup de pied bien placé avant de le pousser dans l'escalier. Il a roulé jusqu'en bas...

— Etes-vous certaine qu'il était mort ?

— Il ne bougeait plus... Il était étendu sur le sol, immobile.

— Néanmoins, vous n'êtes pas allée vérifier ?

— Non ! J'étais terrifiée ! J'ai attrapé mon sac à dos, j'ai pris quelques affaires au hasard et je me suis enfuie en courant. Je ne voulais pas m'attarder, au cas où sa chute ne lui aurait pas été fatale.

Cam reposa son verre, soulagé. Il y voyait un peu plus clair, et possédait à présent des éléments concrets auxquels il pouvait se raccrocher pour débroussailler l'histoire. De plus, la jeune femme lui avait paru sincère.

— Delilah, vous ne devez pas culpabiliser pour un événement qui n'a peut-être jamais eu lieu. Il faut tout d'abord découvrir s'il est encore vivant ou non.

— Comment faire ?

— Appelez-le ! C'est le meilleur moyen de vous en assurer.

— Non ! s'écria-t-elle, apeurée. S'il est en vie, il pourrait localiser mon appel. Je ne veux pas qu'il me retrouve.

— Vous pensez réellement qu'il pourrait localiser votre appel ? C'est un peu excessif, non ?

Elle laissa échapper un rire sec.

— C'est un homme capable de tous les excès. On voit bien que vous ne le connaissez pas.

— Entendu. Et si nous cherchions sur Internet ? Nous pourrions consulter en ligne les faits-divers et les chroniques nécrologiques parues dans les journaux ? Nous vérifierons cela demain ; le Perroquet Rouge est fermé.

Comme elle gardait le silence, il ajouta :

— Mais si vous voulez que je vous aide, vous devez me dire comment il s'appelle.

— Je ne veux pas vous impliquer davantage dans cette affaire. Ce ne serait pas juste.

Elle se leva d'un bond et se mit à arpenter la pièce en se frictionnant les bras, visiblement nerveuse. Avait-elle une autre raison de ne pas vouloir lui dévoiler l'identité de son bourreau ? s'interrogea Cam. Avait-elle vraiment *tout* dit ?

— Après une telle expérience, je conçois que vous ne fassiez pas aisément confiance aux hommes, essaya-t-il de la rassurer. Néanmoins, vous m'avez accordé assez de crédit pour me confier que vous l'aviez peut-être tué. Ne pensez-vous pas que vous pourriez aussi me révéler son identité ?

Elle lui lança un regard inquiet, et hésita avant de répondre :

— Il y a encore des éléments de cette histoire que vous ignorez.

— Je m'en doute.

Ils demeurèrent silencieux quelques secondes, Cam, pensif, et Delilah allant et venant dans le salon.

— Me faites-vous confiance, oui ou non ? laissa-t-il enfin tomber.

S'immobilisant brusquement, elle braqua son regard vers lui.

— Que va-t-il se passer si je vous réponds non ?

— Je ne pourrai pas vous aider, voilà tout, dit-il en haussant les épaules.

— Vous ne... Vous ne me mettrez pas à la porte ?

— Pourquoi ferais-je une chose pareille ? Je respecte votre choix, même si je trouve que vous ne vous simplifiez pas les choses.

Quant à l'éventualité d'héberger une meurtrière, elle ne le tracassait pas outre mesure. Bien sûr, il se pouvait qu'elle ait tué accidentellement son terrible fiancé ; pourtant il avait l'intuition que ce n'était pas le cas.

Sa réponse ne manqua pas d'étonner Delilah. Devant son regard surpris, il poursuivit :

— Vous n'avez pas eu beaucoup de chance, ces derniers temps, n'est-ce pas ?

— Effectivement, approuva-t-elle dans un beau sourire. Jusqu'à ce que j'entre par effraction chez vous.

Bon sang ! Il était dans de beaux draps si un simple sourire de Delilah le désarçonnait à ce point...

— Je ne peux pas vous dire comment il s'appelle, ajouta-t-elle. J'en suis désolée, croyez-moi.

Son entêtement le déçut un peu, mais il était vrai qu'elle le connaissait depuis peu ; sa réserve était donc légitime. Comme elle le fixait d'un regard anxieux, il crut bon de la rassurer :

— Très bien, je ne peux pas vous y contraindre.

Avant d'ajouter brusquement :

— Bon sang Delilah, asseyez-vous ! On dirait que vous allez vous évanouir !

— Navrée, c'est le scotch..., gémit-elle en se laissant tomber dans un fauteuil. Je ne suis pas habituée à en boire. Je ne me sens pas très bien en effet...

Il dut se faire violence pour ne pas la prendre dans ses bras et la réconforter...

— Il faut que vous mangiez quelque chose, décréta-t-il d'un air bourru. Je vais vous préparer un sandwich.

Quelques minutes plus tard, il revenait avec un sandwich au fromage et un verre de lait qu'il posa sur la table basse, en face d'elle.

— Du lait ? fit-elle, amusée.

— Oui, cela vous fera du bien. Et c'est préférable. Vous avez bu assez d'alcool comme ça, je crois.

— Entièrement d'accord avec vous, dit-elle en souriant.

Et, tandis qu'elle mangeait de bon appétit, il se mit à réfléchir à la façon dont elle pourrait résoudre son problème...

— Demain, vous pourrez mener des recherches sur Internet, lui dit-il. Je vous prêterai mon ordinateur.

Elle le fixa pendant quelques secondes, puis finit par murmurer :

— Vous êtes trop gentil pour être réel...

— Ce n'est pas grand-chose, grogna-t-il dans un sourire. J'aurais aimé que vous me fassiez confiance jusqu'au bout, mais comme vous ne pouvez pas... Allez vous reposer à présent. Demain, vous commencerez les recherches.

— Et s'il est mort ? Qu'est-ce que je vais faire ? demanda-t-elle avec angoisse.

— Alors il faudra vous rendre au commissariat, conclut-il d'un air fataliste.

— Ils m'inculperont pour meurtre et me jetteront en prison !

— Non, cela ne se passera pas de cette façon, lui assura-t-il aussitôt devant son expression terrifiée. S'il est mort, son décès sera considéré comme un accident car c'était un cas de légitime défense.

Elle darda alors sur lui ses beaux yeux bleus, des yeux d'un bleu troublant, aussi profond que l'océan.

— Vous, vous me croyez, mais que se passera-t-il si la police ne me croit pas ?

— Il vous a frappée. Il a manqué vous étrangler. Il vous a séquestrée. Pourquoi la police ne vous croirait-elle pas alors que vous portez encore les marques de ses coups ? Si besoin est, vous prendrez un avocat.

— Vous oubliez que je n'ai pas d'argent pour m'offrir les services d'un bon avocat, et vous connaissez, j'imagine, la réputation désastreuse des avocats commis d'office...

— Allons, vous dramatisez inutilement en envisageant le pire. Essayez de vous calmer et allez vous reposer.

Ces mots à peine prononcés, il se rendit compte de leur stupidité. Comment lui demander de se calmer et d'aller se coucher dans l'état d'inquiétude qui était le sien à cet instant ?

— Bien, dit-il brusquement. Oubliez ce que je viens de dire et venez avec moi.

— Où ? fit-elle méfiante.

— Où voulez-vous que je vous emmène ? lança-t-il, irrité. Il est clair que vous ne dormirez pas tant que vous ne saurez pas si votre ex-petit ami est mort ou non. Nous allons dans mon bureau, c'est là que se trouve mon ordinateur.

— Merci, lui dit-elle d'une voix douce. Merci pour tout. Sincèrement... Je ne sais pas pourquoi vous m'avez hébergée, ni pourquoi vous m'avez offert un emploi, et encore moins pourquoi vous êtes si gentil avec moi, mais j'apprécie tout cela à sa juste valeur, croyez-le.

— Allons, je n'ai rien fait de bien héroïque.

— A mes yeux, si.

— Je ne veux pas de votre gratitude, marmonna-t-il, gêné.

— Ah bon ? Et que voulez-vous alors ?

— Pas ce que vous croyez ! répliqua-t-il d'un ton sévère, en regrettant aussitôt ses paroles. Je ne flirte pas avec vous, Delilah, ajouta-t-il vivement, conscient toutefois de s'enfoncer davantage.

— Je sais. Rachel m'a assuré que vous ne flirtiez jamais avec vos employées.

— Exact.

C'était une règle nécessaire, et qui ne lui avait jamais posé de problème... jusqu'à l'arrivée de Delilah. Sans le savoir ni même le vouloir, elle bousculait toutes ses certitudes.

— Bien. Assez discuté, conclut-il. Allons les faire, ces recherches. Sinon, vous allez finir par passer une nuit blanche.

La jeune femme était terriblement fatiguée. Mais l'envie de savoir était plus forte encore. Cam la conduisit dans son bureau, alluma son ordinateur, puis la laissa seule, en promettant de revenir plus tard. Encore une fois, elle lui sut gré de lui confier un lieu dans lequel il était certainement le seul à pénétrer.

Brusquement, elle se sentit coupable... Il lui accordait une confiance qu'elle ne méritait pas, puisqu'elle lui avait menti au sujet de son statut marital. Et elle...

Chassant ce sentiment de culpabilité de ses pensées, elle saisit la souris.

Elle passa d'abord en revue les chroniques nécrologiques. Le décès d'Avery n'était signalé nulle part. Son angoisse s'apaisa au fur et à mesure de ses recherches infructueuses. Si un avocat de sa renommée avait été assassiné, le meurtre aurait fait la une des journaux de Houston ! Tout en continuant à surfer, elle se laissa aller à réfléchir... Pourquoi Cam l'aidait-il ? Cette question l'intriguait. Elle le croyait sincère lorsqu'il affirmait ne rien attendre d'elle en retour...

Avery aussi, elle l'avait cru ! Elle avait cru qu'il

l'aimait, cru qu'il prendrait soin d'elle... N'aurait-elle pas dû être plus méfiante envers Cam ? Tout à l'heure, par exemple, elle avait été fortement tentée de lui dévoiler l'identité d'Avery. De se décharger un peu sur lui de ce fardeau ; Cam semblait être un homme respectable et foncièrement honnête. Mais elle ne devait pas oublier qu'elle avait le chic pour faire confiance aux hommes qui ne le méritaient pas. A seize ans déjà, elle avait succombé aux beaux yeux d'un pitoyable voleur de voitures et avait joué les complices à son insu...

Mais Cam n'était pas un escroc. S'il était malhonnête, alors il abusait beaucoup de monde. Contrairement à Avery, c'était un homme populaire, apprécié par tous ceux qui le côtoyaient : sa famille, ses amis, ses employés... Tous ne pouvaient pas se tromper sur son compte. Et, qui plus est, il vivait dans une petite bourgade où il n'était pas facile de se cacher, contrairement à une ville comme Houston où chacun menait sa vie sans s'occuper des affaires de ses voisins. Ce dont Avery avait tiré profit...

Dès le début de leur relation, avant même leur mariage, il l'avait maintenue dans un état d'isolement. De façon subtile, bien sûr. Il prétendait ne pas apprécier ses amies, et préférait éviter leur compagnie. Pour la cérémonie de mariage, il lui avait affirmé qu'un tête-à-tête avec le maire serait bien plus romantique.

De son côté, il ne lui avait présenté que très peu d'amis. Bien sûr, ils sortaient souvent, mais juste tous les deux. « En amoureux » aimait-il à lui répéter. Flattée de cet amour exclusif, elle ne s'était pas méfiée. Et, peu à peu, presque malgré elle, elle avait commencé à ne plus accepter les invitations de ses amies qui, bien sûr, s'étaient lassées de ses refus successifs. Sa vie s'était alors mise à tourner autour d'Avery, et de lui seul. Et elle n'avait rien vu venir…

Au fond, elle était heureuse qu'Avery fût encore en vie. Enfin, soulagée plus exactement. Cependant, elle devait poursuivre ses recherches afin d'élucider une question qui la tourmentait et l'avait décidée à fuir Avery coûte que coûte. Car si ce qu'elle soupçonnait était vrai…

En frissonnant, elle tapa un nouveau nom dans le moteur de recherche…

— Alors ? Avez-vous trouvé quelque chose ?

Elle sursauta et releva vivement la tête. Cam se tenait sur le seuil de la porte. Elle venait de terminer ses recherches et d'en effacer l'historique. Se frottant la nuque, elle déclara :

— Je n'ai rien trouvé dans les chroniques nécrologiques, ni dans les faits-divers. Il semblerait donc qu'il soit encore en vie.

— Parfait ! C'est une bonne nouvelle, non ? A présent, il est temps d'aller dormir, Delilah.

Il la vit mordre sa lèvre inférieure, comme si une nouvelle pensée la perturbait.

— Qu'y a-t-il encore ? demanda-t-il en soupirant. Il n'est pas mort. Vous n'avez pas de crime sur la conscience et maintenant, vous pouvez l'oublier. Et donc aller dormir !

Comme elle aurait aimé que les choses fussent si simples !

— S'il n'est pas mort, il va se lancer à ma poursuite, marmonna-t-elle d'un air sombre.

Il devait être fou de rage qu'elle ait réussi à s'enfuir. Qu'elle soit hors de sa portée, hors de son pouvoir… A l'idée du sort qu'il lui réserverait s'il la rattrapait, elle en avait des frissons.

— Nous sommes très loin de Houston, Delilah. Pourquoi vous rechercherait-il ? En outre, vous utilisez un autre nom, il lui sera donc très difficile de retrouver votre trace.

— Je sais. Mais je le connais. Il va faire appel aux services d'un détective privé ou faire part de ma disparition à la police.

Cette police de Houston qu'il connaissait si bien...

Mais pourquoi ne s'était-elle pas méfiée de cet homme et de ses trop belles paroles ? Elle n'était pourtant pas née de la dernière pluie lorsqu'elle l'avait rencontré ! Pourquoi avait-elle cru à ses mensonges ?

Sûrement parce qu'elle souffrait de solitude... Et puis il avait été si gentil, au début... Et si convaincant...

— Après ce qu'il vous a fait, croyez-vous qu'il va oser se présenter à la police ? Il vous a quand même retenue prisonnière. C'est un grave délit. Sans compter les coups !

— Non, il n'aura pas peur, il niera. C'est un respectable...

Elle se tut brusquement, consciente qu'elle allait se trahir.

— C'est un notable, reprit-elle. Et il a de nombreuses relations. Ce sera ma parole contre la sienne. Devinez qui l'emportera...

— Vous oubliez vos hématomes, insista Cam.

— Oh ! Il ne se laissera pas désarçonner par quelques ecchymoses... Il inventera une histoire qui deviendra tout à fait crédible dans sa bouche.

— J'ai une amie qui travaille dans la police. Elle pourra vous aider.

— Je refuse de prendre un tel risque. C'est... c'est impossible.

Elle avait lu des statistiques sur les femmes battues. Le plus dangereux pour elles, c'était quand elles fuyaient. Car si leur bourreau les retrouvait — et c'était ce qui se produirait si elle le dénonçait à la police —, elles avaient peu de chance de lui échapper.

Et si Avery la retrouvait, il la tuerait à coup sûr...

— Je vous propose d'en rester là pour aujourd'hui, déclara Cam d'un ton résolu. Nous reparlerons de tout cela demain, à tête reposée.

— Entendu. Comme le restaurant est fermé demain, avez-vous une tâche quelconque à me confier ? L'inventaire ? La lessive ? Un grand ménage ?

Après tout ce qu'il avait fait pour elle, elle pouvait bien travailler pour lui pendant son jour de repos.

— Nous verrons demain. Je dois partir de bonne heure. Je vais donner un coup de main à la réparation des dégâts subis par la mairie lors de la tempête. Mon beau-frère Mark m'a inscrit d'office sur la liste des volontaires.

— Oh... Je suis désolée que vous vous couchiez si tard à cause de moi. Pourquoi ne m'avez-vous rien dit ?

— Je préfère avoir perdu deux heures de sommeil que de vous avoir entendue faire les cent pas toute la nuit.

Ils regagnèrent l'appartement. Comme ils arrivaient devant la chambre de Cam, Delilah lui prit le bras et murmura :

— Merci.

— Cessez de me remercier toutes les dix secondes, Delilah.

— Cette fois, je vous remercie pour autre chose.

Leurs regards se croisèrent et la jeune femme eut

subitement conscience de la grande proximité de cet homme étrange, de son odeur, de son bras qu'elle tenait. Un bras si vigoureux, si réconfortant...

— Merci de m'avoir crue.

Malgré elle, elle laissa glisser son regard vers sa bouche... Quelles sensations lui procureraient ces lèvres si elle les embrassait ? Cam lui donnerait-il un baiser tendre ? Langoureux ? Ou bien impérieux et fougueux ? Lui aussi fixait ses lèvres, se rendit-elle soudain compte. Pensait-il à la même chose qu'elle ?

— Delilah..., dit-il d'une voix rauque.

— Oui ?

Il hésita quelques secondes.

— Rien. Allons dormir.

Puis il entra dans sa chambre sans un mot de plus.

Le cœur battant, Delilah s'efforça de retrouver son souffle... Que se passait-il ? Etait-elle tombée amoureuse d'un quasi-inconnu alors qu'elle subissait de plein fouet les conséquences de son erreur précédente ? Cam lui avait dit clairement qu'il ne recherchait pas une idylle avec elle. Elle était bien trop jeune pour lui, avait-il affirmé. Elle devait impérativement cesser de penser à l'attrait qu'elle ressentait pour lui et se réjouir de l'amitié qu'il lui offrait.

« Un peu de lucidité ! » s'ordonna-t-elle.

Et d'ailleurs, une bonne raison qu'elle ne devait pas oublier l'empêchait de s'engager auprès de Cam : elle était encore mariée à Avery. Et dans la mesure où elle ne voulait pas que ce dernier la retrouve, elle risquait de rester encore longtemps l'épouse de ce despote...

5.

Le lendemain matin, Delilah était en train de lire les petites annonces lorsque Cam, vêtu d'un jean râpé au niveau des genoux et d'un T-shirt à manches courtes qui avaient connu de meilleurs jours, revint de la mairie où il avait prêté main-forte pour réparer les dégâts liés aux intempéries.

— Comment s'est passée la matinée ? lui demanda-t-elle.

— Disons que je suis heureux d'avoir terminé. Recouvrir un toit n'est pas vraiment ma tasse de thé.

Tiens ! pensa-t-elle en le contemplant du coin de l'œil ; il possédait pourtant une véritable musculature d'athlète, et son corps semblait pourtant tout à fait coutumier des travaux physiques... Fermant brièvement les yeux, elle se rappela son torse nu... Et se ressaisit vivement. Que lui prenait-il de fantasmer sur le torse nu de Cam ? Recherchait-elle absolument des ennuis ?

Il sortit une bouteille de jus d'orange du réfrigérateur et s'en servit un verre avant de s'asseoir en face d'elle.

— Que regardez-vous ? Les appartements à louer ou les offres d'emploi ?

— Ni l'un ni l'autre. Juste les petites annonces

personnelles. Pourquoi ? Devrais-je me préoccuper de trouver un autre travail ?

— En ce qui me concerne, non.

— Et un appartement ?

— Vous pouvez rester autant que vous le désirez, Delilah.

— Merci, répondit-elle brièvement en évitant de s'attarder dans le regard qu'il posait sur elle.

Elle avait d'ailleurs pu constater qu'il n'y avait ni studio, ni chambre à louer à Aransas City. Dans son malheur, elle avait eu une chance extraordinaire d'entrer par effraction chez Cameron Randolph, pensa-t-elle avec ironie.

— Avez-vous pris une décision ? Irez-vous à la police ?

— Non, murmura-t-elle d'un ton maussade. Je ne peux pas. Sinon, il me retrouvera. Je vais faire comme s'il n'existait pas.

— Si c'est ce que vous souhaitez...

— Vous pensez que j'ai tort, n'est-ce pas ?

— Peu importe ce que je pense, Delilah. C'est votre décision. Mais si vous changez d'avis, faites-m'en part.

— Je ne changerai pas d'avis, décréta-t-elle d'un ton catégorique.

— Alors ? Que raconte de beau le *célèbre* journal local ? demanda-t-il avant de se mettre à siroter son jus d'orange.

Lui sachant gré de changer de sujet, elle répondit en souriant :

— Les faits-divers sont fort divertissants et tout à fait surprenants. Un certain monsieur B. est rentré chez lui totalement ivre, et sa femme l'a contraint à aller dormir sur la plage où la police l'a arrêté, le prenant pour un S.D.F.

— Le *Journal du Port* est réputé pour ses commérages croustillants. Il ne mentionne jamais les noms des personnes, juste des initiales qui ne correspondent d'ailleurs pas aux véritables noms des protagonistes, mais je peux vous assurer que tout le monde ici sait de qui il s'agit.

— Je n'ai jamais vécu dans des petites villes. Ce doit être très amusant.

— Par certains côtés, oui, surtout si l'on aime que les autres soient au courant de sa vie privée, ironisa-t-il en se levant pour aller poser son verre dans l'évier.

— Oh ! Je vois. Au fait, dites-moi, où puis-je acheter de la lessive ? J'ai utilisé le peu qu'il vous restait et j'ai encore besoin de laver quelques affaires.

— Vous avez aussi besoin de vêtements, décréta Cam en se tournant vers elle. J'aurais dû y penser plus tôt. Je vais vous emmener faire du shopping.

— Merci, mais je n'ai pas les moyens de m'acheter de nouveaux vêtements. Ceux que j'ai feront l'affaire. La prochaine fois que je m'enfuirai, je penserai à prendre plusieurs tenues de rechange, ajouta-t-elle d'un air moqueur. Je manque encore d'entraînement.

— Je vous prêterai de l'argent.

— Non, c'est fort aimable à vous, mais je ne veux pas avoir de dettes. J'ai besoin d'économiser, pas de dépenser.

— Vous n'avez pas besoin d'acheter tout le magasin non plus.

— Je vous suis suffisamment redevable, pour la chambre et l'emploi. Je ne peux pas accepter votre argent pour des choses aussi superflues que des vêtements alors que je ne suis même pas en mesure de vous payer un loyer.

— En l'occurrence, je ne pense pas que cela soit superflu.

Agacée, elle serra les dents tandis qu'il poursuivait :

— Jouez les entêtées si cela vous fait plaisir, moi, je vais prendre ma douche.

Une dizaine de minutes plus tard, il revint dans la cuisine, prit les clés de sa voiture sur le comptoir et déclara d'un ton qui n'admettait aucun refus :

— Allons-y.

— Où ? risqua-t-elle.

— Vous verrez bien ! Pourquoi ce besoin de toujours discuter ?

Delilah n'avait pas l'impression d'être particulièrement revendicative, juste pragmatique. Cependant, elle n'osa pas insister. A contrecœur, elle monta dans le pick-up et garda le silence... jusqu'à ce que Cam se gare devant un magasin discount.

— Etes-vous sourd ? s'exclama-t-elle, furieuse. Je ne veux pas que vous me prêtiez de l'argent !

— J'entends très bien merci. D'ailleurs je ne vous prête rien : je vais vous offrir des vêtements.

— C'est hors de question !

— Ecoutez ma jolie, je ne tiens pas à avoir une serveuse qui porte le même T-shirt un jour sur deux. C'est également *hors de question.* On va croire que je ne paie pas assez mes employés. Alors de deux choses l'une, soit vous entrez avec moi dans ce magasin et vous choisissez quelques T-shirts, un jean et des sous-vêtements, soit je vais vous les acheter moi-même. Et je ne vous garantis pas que cela vous plaira. A vous de voir.

Ils se jaugèrent farouchement pendant une bonne minute, avant que l'expression de Cam ne s'adoucisse et qu'il ajoute :

— Delilah, acceptez ce que je vous offre. Je vous assure que cela ne grèvera pas mon budget.

— Entendu, accepta-t-elle à regret. Mais je vous rembourserai plus tard.

— Nous en reparlerons.

Franchement, ce n'était pas une brillante initiative d'attendre Delilah au rayon lingerie pendant qu'elle essayait des sous-vêtements, pensa Cam mal à l'aise. Il aurait pu attendre ailleurs... Fermant les yeux, il jura entre ses dents. C'était vraiment une mauvaise idée de penser à Delilah en sous-vêtements... Une très mauvaise idée...

— Cam ?

Se retournant vivement, il se retrouva face à Maggie Barnes, une vieille amie. Elle avait relevé ses longs cheveux roux en une queue-de-cheval, ce qui lui donnait une allure décontractée. Sans maquillage, vêtue d'un simple jean et d'un T-shirt, elle était pourtant resplendissante.

— Maggie ! Comment vas-tu ?

— Je ne me plains pas, répondit-elle dans un sourire. Et visiblement, toi non plus, ajouta-t-elle d'un air moqueur en louchant vers le chariot de Cam. Il semblerait que tu aies une nouvelle petite amie...

— Pardon ?

A son tour, il regarda le contenu de son caddie : il était rempli d'articles féminins. Trois slips en dentelle trônaient notamment sur le dessus...

— Non, j'attends juste une amie, bougonna-t-il. Est-ce ton jour de repos ?

Maggie, qui travaillait dans la police, avait été mutée il y a cinq ans dans sa ville d'origine, Aransas City, après avoir passé de nombreuses années en Floride.

— Pas vraiment. Je fais partie de l'équipe de nuit, cette semaine. Alors mon père m'a priée de faire quelques courses. Il a *urgemment* besoin d'une nouvelle glacière pour aller à la pêche, alors que avec sa jambe cassée il ne va pas pouvoir sortir avant plusieurs semaines !

— Comment va-t-il ? demanda Cam en éclatant de rire.

— Oh, lui ça va ! Mais moi, il va finir par me rendre folle !

— Cam, je ne trouve pas les...

Delilah, un jean sur le bras, laissa sa phrase en suspens en apercevant Maggie.

— Désolée, s'empressa-t-elle de marmonner, je ne voulais pas interrompre votre conversation.

— Il n'y a pas de mal, lui assura Cam. Delilah, voici Maggie Barnes. Maggie, je te présente Delilah Roberts. Delilah vient d'arriver à Aransas City. Elle travaille au Perroquet Rouge.

Maggie dévisagea longuement Delilah avant de se tourner vers Cam avec un air moqueur.

— Je suis rassurée au moins sur une chose : tu ne joues pas les travestis. Mais dis-moi, elle n'est pas un peu jeune pour toi ? ajouta-t-elle à mi-voix.

— Maggie..., commença-t-il.

Puis il haussa les épaules et renonça à expliquer qu'il n'avait pas de liaison avec Delilah, ainsi que sa vieille amie le croyait. Après tout, sa vie privée ne la regardait pas.

— Vous plaisez-vous à Aransas City, Delilah ? s'enquit Maggie en décochant un sourire poli à la jeune femme.

— C'est une jolie ville, répondit Delilah.

— Avez-vous l'intention de vous y installer ?

— Je ne sais pas encore, éluda-t-elle en jetant un bref coup d'œil à Cam.

— Oh... Je présume que Cam aura son mot à dire concernant votre décision, conclut Maggie. Bien, je dois vous laisser. Ravie d'avoir fait votre connaissance, Delilah. A bientôt, Cam, lança-t-elle en s'éloignant d'une démarche nonchalante.

— Je n'ai pas très bien compris..., s'inquiéta Delilah en dévisageant Cam. En quoi auriez-vous votre mot à dire sur la longueur de mon séjour à Aransas City ?

Désignant le chariot, il répondit d'un air fataliste :

— Probablement à cause des slips en dentelle...

— Oh ! Désolée. Notez que c'est votre faute ! C'est *vous* qui avez insisté pour acheter ces vêtements...

— Parce que vous en aviez besoin.

— J'espère au moins que vous savez contrôler vos petites amies, observa-t-elle alors avec un petit air sournois.

— Maggie n'est *pas* ma petite amie. C'est une vieille connaissance, ce qui est différent.

— Curieux ! J'ai eu l'impression que vous représentiez bien davantage à ses yeux qu'une *vieille connaissance.*

Cam haussa les épaules. Il ne voyait aucune raison de lui apprendre que Maggie et lui avaient été amants autrefois, mais que cela faisait belle lurette qu'ils ne couchaient plus ensemble.

— En tout cas, mon instinct féminin me dit qu'elle

attend autre chose que de l'amitié de votre part, poursuivit Delilah dans un sourire.

Cette fois, Cam se mit à rire de bon cœur.

— Je vous assure que non.

— Elle est flic, n'est-ce pas ?

— Comment le savez-vous ? s'étonna-t-il en reprenant son sérieux.

— Je l'ai lu dans ses yeux. J'ai été dévisagée par suffisamment de flics dans ma vie pour les reconnaître quand j'en croise.

— Je croyais que vous n'aviez pas d'ennuis avec la police...

— Je n'en ai pas. Ce qui ne veut pas dire que je n'ai jamais eu affaire à eux. Vous savez, à seize ans, je me suis retrouvée seule au monde...

D'où ce regard qui semblait porter tout le fardeau de l'humanité, pensa Cam qui eut, une nouvelle fois, envie de la serrer dans ses bras...

— Vous fabulez sur Maggie, reprit-il en chassant quelques images persistantes de son esprit. Elle n'attend rien de moi.

— Les hommes ne remarquent jamais ces choses-là, soupira Delilah, en replongeant dans le rayon lingerie.

Le shopping à Aransas City en compagnie de Cam se révéla une expérience intéressante. Il connaissait tout le monde et tout le monde s'arrêtait pour discuter avec lui ! Alors qu'ils entraient à l'épicerie, après avoir salué une sixième personne, Delilah ne put s'empêcher de demander :

— Comment faites-vous quand vous êtes pressé ?

— Cela ne sert à rien d'être pressé dans cette ville.

Personne ne sait ce que cela veut dire, alors autant s'adapter au rythme d'Aransas City.

— Vous avez sûrement raison. Avez-vous toujours vécu ici ?

— La plupart du temps, répondit-il en choisissant des pommes. J'ai fait mon service militaire en Allemagne, et puis j'ai étudié à Austin.

— Tiens, vous êtes allé à l'université ?

— Oui, mais pas très longtemps. Les études, ce n'était pas mon truc. Quand j'ai appris que le Perroquet Rouge était en vente, je suis revenu pour en faire l'acquisition. Depuis, je n'ai pas bougé d'ici.

— Moi aussi je suis allée à l'université, murmura Delilah d'un air rêveur. Mais seulement deux ans, aux cours du soir. Je n'ai pas obtenu mon diplôme car je n'ai pas terminé mon cycle.

Elle avait déjà commencé sa formation quand elle avait rencontré Avery. Mais après leur mariage, il lui avait demandé d'arrêter ses études.

— Pourquoi ?

Elle regretta immédiatement ses confidences.

— Parce que... cela n'a pas marché, éluda-t-elle.

— Vous pourriez les reprendre.

— Je n'ai plus de quoi me payer des études à présent.

— Dans la région, les cours du soir à l'université ne coûtent pas très cher.

— Peut-être. On verra.

Il fallait d'abord qu'elle retrouve une certaine tranquillité d'esprit avant d'envisager de reprendre des études. Qu'elle soit sûre qu'Avery ne la poursuivrait pas.

— Quelle marque préférez-vous ? lui demanda-t-il comme ils atteignaient le rayon des produits ménagers.

— Cela m'est égal, je prends toujours la moins chère.

Comme il se penchait pour attraper une boîte de lessive, une femme avec un enfant dans sa poussette et un autre à la main s'arrêta à leur hauteur.

— Cam ! Je voulais justement te voir.

— Quelle que soit la demande, la réponse est non, répondit-il d'un ton pince-sans-rire en se retournant.

— Très drôle !

Le petit garçon, qui devait avoir quatre ans, s'était déjà accroché aux jambes de Cam qui lui ébouriffa les cheveux en souriant.

— Bonjour, Max.

— Au cou, fit le garçonnet.

Cam le fit grimper jusqu'à lui et le cala sur sa hanche. L'enfant se mit alors à babiller, pendant que Cam discutait avec animation avec la jeune femme. Soudain, le bébé commença à pleurer et la cacophonie fut totale. Au bout d'un moment, Cam finit par intervenir :

— Max, veux-tu bien te taire pendant que je parle avec ta mère ? Sinon, elle ne t'achètera pas de sucette.

La menace fut efficace, car l'enfant se tut immédiatement.

— C'est toi qui devras la lui acheter ! renchérit la jeune femme. Je ne soudoie pas mes enfants, moi ! Tu leur donnes de très mauvaises habitudes.

— Pourtant ça marche, tu vois ? fit Cam avec un petit air provocateur.

Il reposa le garçonnet à terre pour sortir la petite fille de la poussette. Elle avait de belles boucles brunes et regardait Cam avec des prunelles noires remplies d'admiration.

— Bonjour, Miranda. Tu embellis tous les jours, lui dit-il en lui donnant un baiser sur la joue.

— Vous devez être Delilah, décréta alors la jeune femme en se tournant vers cette dernière. Je suis Cat, la sœur de Cam.

— Ravie de vous rencontrer, dit Delilah.

Contrairement à Gail, Cat ne ressemblait pas à Cam, mais à Gabe.

— Pourquoi voulais-tu me voir ? demanda Cam en replaçant l'enfant dans sa poussette. Sais-tu que j'aimerais bien rentrer chez moi avant la tombée de la nuit et que je n'ai pas encore terminé mes courses ?

— Ma requête ne sera pas longue. Je voulais juste t'inviter ce soir à dîner.

Se tournant vers Delilah, elle ajouta avec un grand sourire :

— Vous êtes également la bienvenue.

— Oh, merci, mais..., commença Delilah.

— Je n'accepte pas de refus, la coupa Cat. D'aucun d'entre vous, d'ailleurs... Rendez-vous à 19 heures, ce soir. Les enfants seront pratiquement couchés ; le chaos devrait donc être de courte durée.

— Mais quand les enfants se calment, ce sont les parents qui prennent le relais, ironisa Cam.

— Lasagnes et crème brûlée, cela vous convient-il ? demanda Cat sans relever.

— Tu sais bien que je raffole de ta crème brûlée. Quant à tes lasagnes, ce sont les meilleures de tout le Texas.

— Parfait ! Je vous attends donc à 19 heures tapantes.

Puis, sans attendre la confirmation, elle s'éloigna tandis que Max lui réclamait à grands cris une sucette.

— Je suis désolée, dit Delilah. Votre sœur s'est senti obligée de m'inviter par politesse.

— Pas par politesse : par curiosité, rectifia-t-il, un petit sourire au coin des lèvres.

— A mon sujet ?

— A *notre* sujet. Mais soyez sans inquiétude, je m'en charge, lui assura-t-il. C'est une excellente cuisinière, vous verrez.

— Dans ces conditions…

Allons, il s'agissait d'un repas de famille, pas d'un rendez-vous. Elle pouvait bien aller dîner chez sa sœur. Cam était un homme normal. Un homme qui aimait les enfants et qui avait une grande famille. Au fond, elle avait bien le droit d'avoir envie de mieux le connaître, non ?

Dans l'après-midi, alors que Cam se rendait à la réserve pour remonter des caisses de bières, Gabe apparut sur le palier.

— Tu tombes bien, lui dit-il. Tu vas me donner un coup de main.

— Entendu. Après, tu m'offriras un verre.

— Marché conclu.

Un quart d'heure plus tard, Cam plaçait ses bières dans le réfrigérateur du bar, tandis que Gabe en sirotait une, derrière le comptoir.

— Où est ta nouvelle serveuse ? demanda ce dernier d'un ton léger.

— Dans sa chambre. Pourquoi ?

— Pour savoir… T'es-tu renseigné sur elle ?

— Non, répondit Cam. Pourquoi es-tu obsédé par Delilah à ce point ?

— Ce n'est pas une obsession, je crois simplement que tu devrais être plus méfiant. Cette fille ne me dit rien qui vaille.

— Tout simplement parce qu'elle a refusé tes avances...

— Non, ce n'est pas à cause de cela. Seulement... Elle me rappelle quelqu'un. Une femme qui était synonyme de « mauvaises nouvelles ».

— Une femme avec qui tu es sorti ?

— Oui, il y a longtemps. Mais on oublie difficilement certaines choses.

— Je sais. Moi non plus je n'ai pas oublié Janine, marmonna Cam en faisant allusion à son ancienne fiancée. Cela dit, je ne vois pas le rapport. Delilah est mon employée, c'est tout.

— Si elle ne fait que travailler pour toi, cela ira. Mais si tu couches avec elle...

— Mais qu'est-ce que tu as à la fin ? Pourquoi cela te tracasse-t-il à ce point ? Crois-tu que je vais tomber fou amoureux d'elle et que je vais lui donner tout ce que je possède du jour au lendemain ?

— Bien sûr que non ! Mais ce que je constate, c'est que tu crèves de désir pour elle, et que ce genre de désir peut rendre un homme complètement stupide. Es-tu bien certain de n'avoir jamais couché avec elle ?

— Pourquoi cet intérêt subit pour ma vie sexuelle ?

— Tu vois ! Tu as couché avec elle !

— Non ! Et je n'envisage pas de le faire. Elle travaille pour moi et dort dans la chambre d'amis. Tu devrais savoir que je ne mélange jamais ma vie professionnelle et ma vie privée.

— Jusque-là, aucune de tes employées ne ressemblait à Delilah...

Plongeant ses yeux dans ceux de son frère, Gabe poursuivit :

— Je ne t'ai jamais mis en garde contre Janine et pourtant, j'aurais dû.

— Que veux-tu dire ?

— Je savais que Janine te trompait.

— Pardon ? fit Cam en s'immobilisant. Tu le savais et tu ne m'as rien dit ? Pourquoi ?

— Je n'avais pas d'informations précises. Je m'en doutais, c'est tout. Mais je n'ai pas été étonné quand tu l'as surprise avec Travis.

— Elle t'a fait des propositions, c'est ça ?

— Exact. Et si tu n'avais pas été mon frère, je n'aurais pas refusé car c'était un beau brin de fille.

— Delilah n'est pas Janine.

— Elle est peut-être pire.

— Assez Gabe ! Cesse de te tracasser pour moi.

Il se faisait lui-même assez de souci comme ça... Car il avait beau affirmer que jamais il ne coucherait avec Delilah, elle ne cessait de l'obséder, et il savait pertinemment qu'en d'autres circonstances il l'aurait déjà fait. Ou du moins, aurait tout mis en œuvre pour arriver à ses fins.

6.

C’était la première fois que Cam dînait chez sa sœur en compagnie d’une femme. D’ordinaire il venait toujours seul aux dîners familiaux, sauf si sa mère organisait une fête et qu’il avait besoin d’une partenaire pour la circonstance. Cela dit, il n’invitait jamais deux fois de suite la même femme. C’était une forme d’autodéfense qu’il avait perfectionnée au cours des années.

Les dîners chez Cat étaient bien plus intimes que les grandes réceptions qu’organisait sa mère dans sa villa de Key Allegro et auxquelles elle contraignait plus ou moins ses enfants à assister. Chez Mark et Cat, il n’y avait pas de mondanités. C’était même plutôt le contraire...

Ce fut Mark qui vint leur ouvrir. Il salua brièvement Delilah, puis plaça un bébé en pleurs dans les bras de Cam avant de s’éclipser, tout en criant à Cat que les invités étaient arrivés. Cat qui, naturellement, demeurait invisible...

Jetant un regard à Delilah par-dessus l’épaule de la petite fille, Cam déclara d’un ton fataliste :

— Qu’est-ce que je vous avais dit ?

— Est-ce toujours ainsi ?

— Jusqu’à ce que les enfants soient endormis. N’est-ce pas, mon ange ? ajouta-t-il en se mettant à bercer la petite Miranda pour la calmer.

Devant la colère persistante de l'enfant, Cam lui chatouilla le menton. Conquise, la fillette cessa peu à peu de pleurer. Au moment où le trio pénétrait dans le salon, un cri rauque retentit subitement.

— Salut, vieille peau ! lança alors une bien curieuse voix.

D'abord surprise, Delilah éclata de rire en apercevant un perroquet dans une cage orange. Sans l'ombre d'une hésitation, elle se dirigea vers lui.

— Bonjour. Comment t'appelles-tu mon mignon ?

— Je vous présente Buddy, intervint Cam, amusé de voir l'oiseau faire à présent les yeux doux à Delilah. « Vieille peau » est l'une de ses insultes les plus édulcorées. Cat l'a rééduqué car elle ne tenait pas à ce que les enfants répètent toutes les horreurs qu'il connaissait.

— Jolie fille, commenta alors Buddy à l'adresse de Delilah.

— Je crois qu'il m'a adoptée, fit cette dernière, un grand sourire aux lèvres.

— Cela m'en a tout l'air, approuva Cam, se gardant bien de lui dévoiler que Buddy appréciait presque toutes les femmes.

Il plaça alors la petite Miranda, qui était devenue sage comme une image, sur l'une de ses épaules.

— On dirait que tu as sommeil, princesse, lui chuchota-t-il quand il sentit son petit visage s'enfouir dans sa nuque.

Soudain, devant la curieuse expression de Delilah, il s'inquiéta :

— Qu'y a-t-il ? Aurait-elle vomi dans mon cou ?

— Non, c'est juste que... Enfin, vous la tenez avec

un si grand naturel. Comme si vous aviez fait cela toute votre vie.

— Hé ! dit-il en riant. Vous n'êtes pas loin de la vérité. J'ai beaucoup d'expérience avec les enfants de mes sœurs : Gail en a trois et Cat deux.

— N'avez-vous jamais eu envie d'en avoir ?

— Non, laissa-t-il tomber d'un ton détaché pour dissimuler son mensonge. Pour cela, il faudrait que je sois marié, et le mariage ne fait pas partie de mes projets.

Sur ce point, il disait vrai. Quand il était fiancé à Janine, il avait envisagé de se marier. Mais après leur rupture, il avait renoncé à cette idée et depuis, s'y accrochait farouchement.

Sa réponse laissa Delilah dubitative, mais elle se garda bien d'émettre le moindre commentaire.

A cet instant, Cat surgit dans la pièce et prit Miranda des bras de Cam.

— Désolée pour l'accueil ! Cam, pendant que je vais coucher Miranda, peux-tu offrir un verre à Delilah ? Mark et moi vous rejoignons dans une minute.

Puis elle disparut avec l'enfant comme elle était entrée.

— Une minute, quel optimisme ! déclara Cam. Que désirez-vous boire ?

— La même chose que vous, dit-elle en le suivant dans la cuisine.

Il sortit deux bières du réfrigérateur.

— Je vois qu'il y a du vin blanc au frais, si vous préférez...

— Non, de la bière, ce sera parfait, répondit-elle en balayant la cuisine du regard. Mmm, cela sent très bon par ici... Comme dans un restaurant italien. C'était gentil de la part de votre sœur de m'inviter.

Avant que Cam n'ait le temps de lui rappeler le but de l'invitation, Max déboula en trombe dans la cuisine en hurlant à pleins poumons :

— Oncle Cam !

Là-dessus, il se jeta dans les jambes de son sauveur.

— Papa est très en colère contre moi, ajouta-t-il en roulant des yeux effrayés.

Max jouait à merveille les enfants martyrs. Cependant, Mark n'ayant jamais levé la main sur lui, il était difficilement crédible.

En souriant, Cam le prit dans ses bras.

— Que s'est-il passé, mon grand ?

Un beau sourire éclaira alors le visage du petit Max, dévoilant une ravissante fossette dans le creux de sa joue droite.

A cet instant, Mark pénétra dans la cuisine, l'air harassé.

— Il a jeté son camion de pompiers dans les toilettes, expliqua-t-il. Si vous avez besoin de les utiliser, je vous conseille plutôt d'aller à l'étage. Dans celles du vestibule, c'est l'inondation !

Se tournant vers Delilah, il poursuivit :

— Bienvenue dans cette maison de fous. A propos, je suis Mark. Je ne crois pas avoir eu le temps de me présenter.

— Delilah, répondit cette dernière en lui serrant la main. Merci de m'avoir invitée.

— Ravi de vous recevoir. Je vais mettre Max au lit et ensuite j'espère que nous pourrons dîner tranquillement, soupira-t-il en prenant son fils des bras de Cam.

Le garçonnet noua immédiatement ses petits bras

autour du cou de son père et demanda d'une petite voix douce tandis que tous deux sortaient de la cuisine :

— Tu es encore en colère, papa ?

— Je te pardonne pour cette fois, mais ne recommence pas, compris ? le menaça Mark d'une grosse voix avant de gravir l'escalier qui menait aux chambres quatre à quatre.

Quelques instants plus tard, on entendit Max rire aux éclats.

— Il saura se défendre dans la vie celui-là ! s'exclama Cam en souriant.

— Il est adorable. D'ailleurs, votre famille est adorable. Ils sont tous si... normaux.

— Normaux ? répéta-t-il surpris.

— C'est un compliment. Je voulais dire que votre sœur et son mari sont très gentils.

Sur ces mots, elle regagna le salon et se mit à bavarder avec le perroquet.

Delilah et Cat s'entendirent à merveille, ainsi que le constata Cam avec soulagement au cours du dîner. Gabe semblait être le seul à avoir des problèmes avec Delilah.

Comme ils débarrassaient la table, Delilah proposa de faire la vaisselle.

— Pas question ! refusa Cat qui s'affairait déjà autour de l'évier. Je m'en charge et Cam va l'essuyer. Il a l'habitude.

Delilah alla donc visiter la volière en compagnie de Mark, et Cam fut obligé de rejoindre sa sœur dans la cuisine... Il redoutait ce tête-à-tête. Depuis que Cat avait épousé Mark, elle n'avait plus qu'une obsession : que ses frères se mettent à leur tour en ménage.

— Delilah est adorable. Et très jolie, attaqua-t-elle bille en tête.

Comme ce dernier ne répondait rien, elle ajouta :

— Intelligente, aussi.

Tout en essuyant une poêle, Cam demanda avec désinvolture :

— Et qu'est-ce qui te permet de juger de son intelligence ?

— C'était évident lorsque nous parlions de comptabilité. Savais-tu qu'elle voulait devenir expert-comptable ?

— Non, je l'ai appris en même temps que toi, tout à l'heure.

A part sa passion pour les oiseaux, Cat adorait les chiffres et exerçait le métier de comptable. Pour sa part, si Mark travaillait dans une réserve naturelle et s'intéressait lui aussi aux oiseaux, il n'avait en revanche aucun intérêt pour les chiffres. Pas plus que Cam, d'ailleurs. Aussi Cat avait-elle dû être ravie de trouver en Delilah une interlocutrice avec qui parler de comptabilité.

— Elle m'a simplement dit qu'elle avait étudié deux ans, mais qu'elle n'avait pas obtenu de diplôme car elle n'avait pas pu terminer son cycle universitaire, reprit Cam.

— Quand j'ai proposé de lui prêter des livres, elle a refusé. Elle préfère aller à la bibliothèque. Je n'ai pas très bien compris pourquoi.

— Elle n'aime pas être redevable, répondit-il en repensant à leur shopping. Peut-être n'a-t-elle pas l'intention de s'attarder à Aransas City.

— Pourquoi s'en irait-elle ? Surtout si elle et toi...

— Que les choses soient bien claires ! l'interrompit Cam. Il n'y a *rien* entre Delilah et moi. Et il n'y aura rien. Donc, tu peux oublier cette histoire.

Cat était en train de récurer une casserole. Ses cheveux noirs formaient un rideau opaque autour de son visage.

— Pourquoi ? insista-t-elle néanmoins.

— Cela ne saute-t-il pas aux yeux ?

— Désolée, non, dit-elle en rejetant ses cheveux en arrière pour plonger ses yeux dans ceux de son frère. Selon Mark, tu n'es pas insensible à ses charmes. Et il est manifeste qu'elle ne te déteste pas... Alors, où est le problème ?

Cam serra les dents. Au diable sa maudite famille qui se mêlait toujours de ce qui ne la regardait pas !

— Mark ferait mieux de se taire, et toi, tu ne vaux pas mieux que lui !

A ces mots, Cat éclata de rire.

— Tu vois, c'est un sujet sensible... Dis-moi au moins quel est le problème !

— Enfin, Cat ! Elle a quatorze ans de moins que moi !

— Vraiment ?

Il est vrai que lorsqu'elle s'exprimait, Delilah montrait une maturité qui ne correspondait pas à une jeune femme de vingt-cinq ans. Mais la réalité était bien là.

— Je ne vois pas en quoi la différence d'âge poserait problème, poursuivit Cat, têtue.

Comme son frère gardait le silence, elle insista :

— Est-ce à cause de Janine ?

— Absolument pas.

Il était sincère. Son ex-fiancée n'avait rien à voir avec ce qu'il ressentait pour Delilah. Bon sang ! Il n'allait tout de même pas confier à Cat les troublants sentiments que lui inspirait sa nouvelle serveuse.

— J'en suis ravie, décréta Cat. Il est temps que tu

surmontes cette affaire malheureuse. Cette fille n'en valait pas la peine.

— Je m'en suis remis depuis longtemps, Cat, lui assura-t-il. Cela dit, les deux histoires n'ont aucun rapport. Delilah travaille pour moi, et dort dans ma chambre d'amis. Il s'agit d'une relation professionnelle. Et c'est tout.

Et il entendait bien que les choses en restent là ! Car si une intimité devait se créer entre eux, il n'était pas certain d'avoir un jour le courage de rompre, comme il le faisait avec toutes les autres, depuis Janine...

— Je ne comprends toujours pas...

Jetant son torchon sur le comptoir, Cam explosa.

— Assez, Cat ! Il ne se passera rien entre Delilah et moi, point final ! Tu as compris ?

— Je crois que nous avons tous compris, déclara Mark d'une voix calme.

Sur le seuil de la cuisine, Delilah et lui contemplaient la scène d'un air gêné.

— Zut à la fin ! marmonna Cam en regagnant le salon.

Décidément, cette soirée commencée sous les meilleurs auspices était en train de dégénérer à vue d'œil.

— J'ai passé une excellente soirée, lui assura Delilah pendant le trajet de retour. Votre sœur et votre beau-frère sont des gens charmants.

Elle avait presque oublié à quel point il était agréable de passer des soirées en compagnie d'autres personnes. Avery l'en avait empêchée pendant si longtemps ! Elle secoua la tête pour le chasser de ses pensées... Il n'allait tout de même pas lui gâcher ce moment !

— Je crois qu'ils vous ont également beaucoup appréciée, lui répondit Cam. A propos, pourquoi n'avez-vous pas voulu que Cat vous prête des bouquins ? Si la comptabilité vous intéresse, elle serait ravie de vous aider.

— C'était fort aimable à elle, mais cela ne sert à rien. Je n'ai pas les moyens de me payer des études en ce moment.

Et elle ne possédait pas davantage un état d'esprit propice à l'étude. Tant qu'elle n'aurait pas résolu son problème, elle ne pourrait pas envisager d'aller de l'avant.

— Vous devriez quand même vous renseigner auprès des universités de la région. Je vous assure que leurs tarifs sont tout à fait abordables.

— Je ne peux même pas payer un loyer, alors comment voulez-vous que je m'offre des études ?

— Cessez de vous préoccuper de votre loyer, voulez-vous ? Vous ai-je demandé quoi que ce soit ?

— Non. Mais vous devriez.

Ils venaient d'arriver au Perroquet Rouge. Cam se gara, coupa le moteur puis se tourna vers sa passagère.

— Pourquoi ? Contrairement à vous, je n'ai pas besoin d'argent.

— Pourquoi êtes-vous si gentil avec moi ? Au début, j'ai cru que...

Elle laissa sa phrase en suspens, incapable de lui dire ce qu'elle pensait. De toute évidence, Cam n'avait pas la moindre intention de la séduire. Elle aurait dû s'en réjouir et pourtant... Il était si catégorique sur ce point, que c'en était presque vexant !

— Vous avez cru que si vous restiez chez moi, je finirais par vous faire des avances, n'est-ce pas ? compléta-t-il.

— Oui, admit-elle en rougissant.

— Delilah, regardez-moi…

Il attendit qu'elle lève les yeux vers lui pour poursuivre :

— Vous savez que je ne ferai jamais une chose pareille.

— Au cas où je ne l'aurais pas su, vous me l'avez fait comprendre clairement dans la cuisine de votre sœur, tout à l'heure, rétorqua-t-elle sèchement.

De nouveau, elle sentit une certaine irritation. L'idée qu'il ne la trouve pas séduisante la froissait.

— Ma sœur m'avait agacé avec ses questions et ses insinuations. Je remettais juste les pendules à l'heure avec elle.

Sur ces mots, il ouvrit la portière et descendit du pick-up.

Elle l'imita et attendit qu'ils soient arrivés à l'appartement pour reprendre :

— Puis-je vous poser une question ?

— Allez-y.

— Pourquoi êtes-vous si certain qu'il ne se passera rien entre nous ?

Cam était en train de déboutonner sa veste. A cette question, il se figea dans son geste.

— Pardon ?

Elle répéta la question. Avec lenteur, il retira alors sa veste qu'il accrocha au portemanteau.

— Vous savez parfaitement pourquoi, laissa-t-il tomber d'un air las.

— Oui, parce que je ne vous attire pas.

— Je n'ai jamais dit cela ! marmonna-t-il. Seulement… Vous êtes mon employée et vous logez chez moi. Sans parler de notre différence d'âge. Ce ne serait pas une bonne idée de sortir ensemble. Je croyais que vous étiez d'accord avec moi. Avez-vous changé d'avis ?

Détournant rapidement les yeux, Delilah murmura :

— Non ! Bien sûr... Vous avez raison. Pardonnez-moi... Je suis désolée. Oubliez ce que je viens de vous dire.

Néanmoins une petite flamme venait de s'allumer tout au fond d'elle : elle ne le laissait pas indifférent...

7.

Cam luttait sans relâche contre ses impulsions. Il lui était de plus en plus difficile de résister à l'attraction que Delilah exerçait sur lui. Notamment depuis le dîner chez Cat… Même si, au terme de leur discussion, elle avait convenu qu'il ne devait rien y avoir entre eux, il était manifeste qu'elle aussi était attirée par lui.

Quelques jours plus tard, comme il allait entrer dans la salle de bains, il croisa la jeune femme qui en sortait, simplement enveloppée dans un drap de bain. Ses épaules, délicatement sculptées, chatoyaient tel du satin au-dessus de l'éponge blanche. Ses cheveux noirs étaient mouillés et ramenés en arrière, ce qui lui prêtait un air des plus sexy… Malgré lui, son regard glissa vers la poitrine de la jeune femme. Il vit des gouttes d'eau rouler lentement dans le creux de sa gorge, sous la serviette… Il aurait aimé en retracer le sillage avec sa langue, dérouler lentement la serviette et admirer ce corps qu'il devinait magnifique, avant de caresser et de déguster chaque millimètre de sa peau douce et parfumée…

Lorsqu'il releva les yeux, il se heurta au bleu profond de son regard. Elle lui adressa un sourire, mais il n'entendit rien de ce qu'elle lui murmura tant ses oreilles bourdonnaient sous l'effet de l'excitation qui le tenaillait. Grommelant une vague excuse, il pénétra dans la salle de bains et, une fois la porte refermée, s'autorisa de nouveau à respirer. Là, il était en sécurité. Enfin, presque...

Il régnait une température élevée dans la pièce emplie de vapeur et embaumée d'un gel douche à la rose... Avisant une culotte en coton suspendue à la tringle du rideau de douche, Cam tressaillit et la fixa longuement, le cœur battant. Il la saisit délicatement pour la placer à un autre endroit pour ne pas l'asperger d'eau. Quand il l'eut dans la main, une image érotique s'imposa malgré lui à son esprit : il se vit en train de la retirer à Delilah, la roulant lentement sur ses cuisses...

Il avait besoin d'une femme, pensa-t-il avant d'ouvrir le robinet d'eau froide de la douche. Néanmoins, il n'était pas dupe. Il aurait beau assouvir ses besoins physiques, il n'en resterait pas moins obsédé par Delilah...

Un quart d'heure plus tard, il sortait de la douche. S'il avait recouvré son sang-froid, il se sentait en revanche d'une humeur massacrante.

Il était plongé dans la lecture du journal lorsqu'on frappa à la porte de l'appartement.

C'était Maggie.

Ses cheveux n'étaient pas attachés, et de belles boucles ambrées retombaient avec légèreté sur ses épaules. A la voir trop souvent en uniforme, les cheveux attachés, il avait presque oublié à quel point elle pouvait être sensuelle, lorsqu'elle s'en donnait la peine.

— Bonjour, Maggie. Quel bon vent t'amène ?

— Rien de spécial... Je venais juste te faire un petit coucou avant le rush du déjeuner. Cela fait longtemps que l'on n'a pas discuté, toi et moi. Tu m'offres un café ?

— Bien sûr.

De quoi voulait-elle bien discuter à une heure aussi matinale ? Avait-elle mené elle aussi sa petite enquête sur Delilah ? Venait-elle lui apprendre que la jeune femme était une dangereuse criminelle recherchée dans plusieurs Etats ?

— Où est ta nouvelle serveuse ? demanda-t-elle après la première gorgée de café.

— Au restaurant, elle travaille. Pourquoi ?

— Pour rien...

Maggie porta de nouveau sa tasse à sa bouche et ajouta :

— Mmm, tu prépares divinement le café, tu sais.

Surpris, il l'observa quelques secondes du coin de l'œil. Soudain, il comprit.

— Tiens, tu t'es maquillée !

— Oui, cela m'arrive parfois, assura-t-elle d'un air dégagé.

— Et tu as troqué ton jean contre un pantalon chic... Aurais-tu rendez-vous avec un homme ? ajouta-t-il, malicieux.

A ces mots, Maggie se mit à rougir et il sut qu'il avait touché un point sensible.

— Une femme ne peut-elle donc pas être élégante sans qu'on la soupçonne d'aller rejoindre un amant ?

— Mais bien sûr que si ! Seulement, cela ne te ressemble pas...

— Il se trouve que j'ai envie de changer de style. Est-ce un crime ?

— Mais pas du tout, protesta-t-il. C'était juste une observation. Inutile de t'énerver.

Maggie haussa les épaules et devint silencieuse.

Rendu curieux, Cam résista au désir de la questionner davantage ; de toute façon, il savait qu'il resterait sur sa faim tant que Maggie ne jugerait pas bon de lui fournir des explications.

— Tu sais que tu fais parler toute la ville, lança-t-elle tout à coup.

— Pourquoi ?

— Allez, Cam, ne fais pas l'innocent ! A cause de Delilah, bien sûr... Tu ne peux pas héberger chez toi une femme aussi belle qu'elle et espérer échapper aux commérages. D'autant que tu as toujours vécu seul, jusque-là...

— Et alors ? Ce sont mes affaires.

— Tu ne peux pas empêcher les gens de parler, Cam...

Agacé, il détourna les yeux. Que des rumeurs circulent sur une histoire qui n'existait pas l'irritait profondément. Peut-être était-il d'autant plus agacé qu'il ne se passait rien, justement...

— Est-ce sérieux, entre cette fille et toi ?

De mauvaise humeur, il reporta son regard sur Maggie. Elle avait de la chance d'être une vieille amie...

— Delilah et moi ne couchons pas ensemble, si c'est ce que tu veux savoir. Je me contente de lui rendre service.

— Si tu le dis, je te crois... Pourrais-tu te libérer un peu plus tôt ce soir ? enchaîna-t-elle d'une voix plus douce.

— Je ne sais pas... Cela dépend de Martha. Pourquoi ?

— J'ai ma soirée de libre, et j'ai pensé que l'on pourrait la passer ensemble. Je ferai des grillades, si tu en as envie.

— Toi, cuisiner ? Maggie, dis-moi franchement ce qui ne va pas, s'il te plaît.

Cam savait pertinemment que les talents culinaires de Maggie étaient des plus limités. C'était sa mère qui lui mijotait des petits plats à emporter, ou bien elle allait au restaurant. Du riz et des pâtes, c'était à peu près tout ce qu'elle savait préparer.

Soudain, elle posa sa main sur le bras de Cam.

— Je ne suis pas obligée de cuisiner. Nous pouvons très bien... faire autre chose.

S'il ne l'avait pas aussi bien connue, il aurait pu croire qu'elle lui faisait des avances.

— C'est-à-dire ?

— Allons ! Fais appel à ton imagination ! lui conseilla-t-elle d'une voix langoureuse.

Oh, oh... Ce comportement devenait de plus en plus suspect et le rendait passablement nerveux. Ce n'était pas la Maggie à laquelle il était habitué.

— Que se passe-t-il, Maggie ?

Elle laissa fuser un petit rire de gorge.

— Honnêtement, Cam, parfois, tu ne comprends rien à rien.

Alors, se soulevant de sa chaise, elle posa sa bouche sur la sienne et lui donna un long baiser... Elle l'embrassa avec ferveur, comme si elle n'avait pas embrassé un homme depuis des années.

Surpris et incapable de réagir, Cam ne la repoussa pas...

Elle finit par s'écarter de lui et lui sourit tranquillement.

— Qu'est-ce que cela signifie ? demanda-t-il au bout de quelques secondes.

— Je croyais pourtant avoir été claire, répliqua-t-elle, vexée, tandis que son sourire s'évanouissait.

— Enfin, Maggie... Voilà des années que nous avons

décidé qu'il valait mieux que nous soyons amis plutôt qu'amants.

— Non, Cam, c'est *toi* qui as décidé pour nous, à l'époque.

Gêné, ne trouvant rien à répondre à cela, il passa une main dans ses cheveux. Ces souvenirs le mettaient mal à l'aise. Il se demanda brusquement s'il n'avait pas profité d'elle, autrefois... Leur aventure n'avait jamais été pour lui qu'une succession de moments agréables, un peu à la manière d'un partage entre amis.

— Avoue que tu n'accordais pas un grand sérieux à notre relation, ajouta-t-elle.

— Si je t'ai blessée, j'en suis désolé, lui dit-il avec sincérité. Maggie, pourquoi viens-tu me demander des comptes aujourd'hui ? Il y a prescription, non ?

— J'en ai assez d'être seule, expliqua-t-elle d'un ton renfrogné. Tu comprends ? Je n'en peux plus de dormir seule tous les soirs. J'ai envie d'avoir un homme dans ma vie.

— Tu as quand même eu des amants depuis...

— Bien sûr ! Là n'est pas la question ! Mais toi, Cam, je te fais confiance.

Cam se sentit brusquement soulagé. Maggie souffrait de solitude, voilà tout, et elle n'avait pas parlé d'amour. S'approchant d'elle, il la serra dans ses bras et lui caressa gentiment le dos.

— Tu sais que tu comptes beaucoup pour moi, Maggie. Seulement, je ne peux rien faire pour toi dans ce domaine... Ce serait injuste. Tu mérites un homme qui t'aime.

— Je ne vois personne qui pourrait me correspondre, souffla-t-elle d'une petite voix.

— Tu es séduisante, Maggie, tu finiras par trouver ton alter ego.

— Si je suis séduisante, pourquoi refuses-tu de coucher avec moi ? Tu n'as pas autant de scrupules avec les femmes, d'habitude. C'est à cause d'elle, n'est-ce pas ? ajouta-t-elle, le visage sombre. Tu refuses ma proposition à cause de Delilah !

Bon sang ! Il avait droit à une scène de jalousie à présent ! Mais ce qui le contrariait le plus, c'était que Maggie avait en partie raison...

— Je t'ai déjà dit que je ne couchais pas avec elle, lui assura-t-il en s'écartant d'elle.

— Mais tu en meurs d'envie.

— Mon refus ne concerne pas Delilah, mentit-il. Il s'agit de toi et de moi. Je ne veux pas te laisser commettre une erreur que tu regretteras sitôt l'avoir faite.

— Quelle noblesse ! Quelle grandeur d'âme !

— Je ne veux pas que tu souffres, Maggie, c'est tout. Je suis ton ami.

Il s'avança vers elle pour la prendre de nouveau dans ses bras, mais elle recula vivement.

— Epargne-moi ta...

— Cam, Rachel a appelé et...

Delilah s'immobilisa sur le seuil de la porte.

— Navrée, je ne savais pas que vous aviez de la visite.

Un air dégoûté se peignit sur le visage de Maggie. Posant ses mains sur ses hanches, elle jaugea Cam avec un mépris si profond qu'il eut envie de rentrer sous terre. Puis elle déclara :

— Je vais te dire une bonne chose, Cameron Randolph : tu peux aller au diable avec tes bons sentiments !

Là-dessus, elle tourna les talons et sortit de la pièce en faisant violemment claquer la porte derrière elle.

Delilah étouffa une exclamation de surprise.

— Avez-vous entendu notre conversation ? lui demanda Cam.

— Non. Juste la réplique finale ; assez théâtrale je dois l'avouer. Votre *vieille amie* semble vraiment très en colère contre vous...

— Exact, répondit-il d'un ton morne sans relever l'ironie de ces propos.

— Voulez-vous en parler ? proposa-t-elle alors gentiment.

— Non.

Il passa sa main sur son visage, encore sous le choc. Il ne pouvait rien faire pour Maggie. Il faudrait bien qu'elle le comprenne et qu'elle résolve ses problèmes sans son aide...

— Que vouliez-vous ? demanda-t-il d'un ton sec à Delilah.

— Rachel a téléphoné pour nous prévenir qu'elle arriverait en retard. Elle a des examens, ce soir, à la fac.

— Elle a intérêt à ne pas mentir, sinon, je la renvoie, marmonna-t-il.

— Vous ne feriez pas cela.

— Voulez-vous parier ?

Il était de si mauvaise humeur qu'il aurait pu congédier Rachel sur-le-champ !

— Ce n'est pas sa faute si vous êtes bouleversé à cause de Maggie.

Il voulut répliquer mais se ravisa à temps. Delilah avait raison. D'ailleurs, elle non plus n'était pas responsable. Ni pour Maggie, ni pour les désirs qu'elle lui inspirait et qu'il ne pouvait pas assouvir... Mais cette pensée ne contribua pas à l'apaiser. Aussi, avant de dire ou de faire des choses qu'il ne manquerait pas de regretter par la suite, il sortit de la pièce sans un mot.

— Le pressing vient d'appeler, annonça Delilah, deux jours plus tard. Leur camion de livraison est en panne.

Cam sourcilla. Peu désireux de croiser de nouveau la jeune femme dans la salle de bains — depuis leur dernière rencontre, les épaules soyeuses de Delilah ne cessaient de le hanter —, il s'était levé de bonne heure, s'était douché, puis s'était enfermé dans son bureau afin de régler des questions administratives qu'il remettait toujours au lendemain.

— Nous n'aurons pas assez de serviettes pour le déjeuner, poursuivit-elle. Voulez-vous aller les chercher vous-même au pressing ?

Ce n'était pas le moment. Il avait quantité de choses à faire, et se rendre au pressing ne figurait pas sur la liste de ses priorités.

— C'est la sixième fois en un mois que leur camionnette tombe en panne. Je vais finir par m'adresser à un autre pressing, maugréa-t-il.

— Pourquoi ne l'avez-vous pas déjà fait ? s'étonna-t-elle.

Très bonne question ! Par fidélité tout bêtement, tout en sachant que cette fidélité était préjudiciable à ses affaires. Hélas ! Le pressing connaissait trop de difficultés en ce moment pour qu'il ait le cœur à lui retirer sa clientèle.

— Parce que je ne veux pas être responsable de leur faillite. Je connais les propriétaires depuis des années.

C'est le problème des petites villes... Savez-vous conduire un pick-up ?

— Oui, pourquoi ?

— Prenez le mien et allez au pressing. Il se trouve sur Redbird Lane, une rue perpendiculaire à l'avenue principale. Vous ne pouvez pas le manquer.

Elle ne répondit pas, se contentant de le fixer.

— Qu'y a-t-il ? Vous n'êtes pas une bonne conductrice ?

— Non, c'est juste que... Je suis étonnée que vous me fassiez confiance à ce point.

— Pourquoi ? Ne devrais-je pas ? Allez-vous rentrer dans le premier poteau venu ?

Il commençait à regretter son geste impulsif. Normalement, il ne prêtait jamais son véhicule. Et surtout pas à une femme...

— Pas intentionnellement, répliqua Delilah avec un petit sourire, mais un accrochage est si vite arrivé.

— Soyez prudente, c'est tout. Et... faites vite, car l'heure du déjeuner approche ! Allez ! Disparaissez !

Il avait hâte qu'elle sorte de son bureau pour se remettre à fantasmer tranquillement sur elle, sur sa serviette en éponge, et sur ce qui serait arrivé, s'il la lui avait retirée...

Delilah avait trouvé sans problème le pressing, chargé la commande à l'arrière du véhicule, et roulait maintenant tranquillement en direction du Perroquet Rouge... lorsqu'elle entendit une sirène retentir derrière elle. Elle jeta un coup d'œil dans le rétroviseur. C'était bien sa veine ! La police la sommait de s'arrêter... Nerveuse, elle se gara sur le bas-côté. De nouveau, elle eut l'impression d'avoir seize ans.

Lorsque l'agent arriva à sa hauteur, elle essaya de se maîtriser et de garder son calme.

— Que se passe-t-il ? Je ne dépassais pas la vitesse autorisée.

Ce fut alors qu'elle reconnut Maggie Barnes ! Elle ne ressemblait plus à la femme élégante qu'elle avait croisée chez Cam. Aujourd'hui, sa coiffure était aussi stricte que son uniforme. De plus, elle portait des lunettes de soleil foncées. Le cœur de Delilah se mit à battre plus vite. A cet instant précis, Maggie incarnait l'image même du policier sûr de son pouvoir et peu enclin au bavardage amical.

— Bonjour Maggie, risqua-t-elle dans un timide sourire.

— Bonjour, mademoiselle Roberts. Puis-je voir les papiers du véhicule et votre permis de conduire ?

A ces mots, Delilah sentit son estomac se nouer. Sur son permis de conduire figurait son nom d'épouse. Si elle le donnait à Maggie et que celle-ci enregistrait ses coordonnées, cela pouvait mettre Avery sur sa piste.

— Je n'ai pas mon permis sur moi, répondit-elle sans hésiter.

Sans dire un mot, Maggie la jaugea d'un air sévère.

— En fait, je l'ai perdu, ajouta Delilah.

— Vous l'avez perdu, répéta Maggie d'un ton neutre.

— Je sais, je ne devrais pas conduire sans duplicata, mais Cam m'a priée de me rendre de toute urgence au pressing.

— Et les papiers du véhicule ? exigea Maggie, inflexible.

Delilah ouvrit la boîte à gants, espérant les trouver à cet endroit... Ils étaient bien là. Tout en les tendant à Maggie, elle lui expliqua que c'était le véhicule de Cam.

La précision était inutile. Maggie le savait forcément. Mais Delilah était si nerveuse qu'elle avait besoin de dire n'importe quoi pour ne pas céder à la panique.

Maggie nota les références dans un carnet avant de répondre :

— Je le sais, merci. C'est précisément pour cette raison que je vous ai arrêtée. Cam sait-il que vous avez emprunté son véhicule ?

— Bien sûr ! Je ne l'aurais pas pris sans sa permission. Je vous ai dit que...

— Curieux... Il ne le prête jamais. Et surtout pas aux femmes.

Delilah se sentit fléchir.

— Ecoutez, il m'a priée de me rendre au pressing à sa place et m'a remis les clés du pick-up. La camionnette du pressing étant tombée en panne, le livreur ne pouvait pas nous apporter les serviettes dont nous avons besoin pour le déjeuner.

Mâchoires serrées, Maggie l'écoutait, hautement sceptique. Agacée par son attitude, Delilah finit par s'énerver malgré elle.

— Regardez à l'arrière, si vous ne me croyez pas !

— Mais c'est ce que je vais faire.

Elle se pencha alors pour vérifier la banquette arrière, non sans avoir jeté un regard noir à la jeune femme.

— Effectivement, on dirait des serviettes. Vous en restez donc à cette version ?

A ces mots, elle retira ses lunettes, les plaça dans la poche de sa veste et considéra Delilah avec dureté.

— Demandez à Cam si vous ne me croyez pas ! lança Delilah en regrettant aussitôt son élan de colère.

— Vous pouvez compter sur moi, mademoiselle Roberts. Vous savez que le vol de voiture est un délit, n'est-ce pas ?

— Je n'ai pas volé le véhicule de Cam, martela Delilah.

Quelle ironie du sort ! C'était la deuxième fois dans son existence qu'on l'accusait d'un vol de véhicule qu'elle n'avait pas commis. La première fois, protester de son innocence ne l'avait pas empêchée d'être poursuivie. Aujourd'hui, elle savait que la parole de Cam suffirait à la disculper et elle ne se faisait pas de souci de ce côté-là. Non, ce qu'elle redoutait, c'était qu'un policier mette son nez dans ses affaires... Une simple vérification d'identité pouvait porter à conséquence. C'était d'ailleurs pour cette raison qu'elle avait refusé de présenter son permis. Néanmoins, elle savait que Maggie Barnes n'allait pas la laisser en paix aussi facilement.

— Nous allons tout de suite appeler Cam pour vérifier, dit Maggie.

Elle sortit alors son portable sans quitter Delilah des yeux.

Allons, elle ne faisait que son métier et vérifiait que l'un de ses amis n'était pas victime d'un vol, pensa Delilah pour se calmer. Mais au fond d'elle-même, elle n'était pourtant pas dupe : Maggie Barnes ne l'aimait pas beaucoup et elle croyait savoir pourquoi...

— Cam, c'est Maggie. J'ai devant moi Delilah Roberts. Savais-tu qu'elle avait ton pick-up ? Elle prétend que tu lui as donné la permission de l'utiliser.

Tout en écoutant la réponse de son interlocuteur, Maggie fixait Delilah.

— Très bien... Pourquoi l'ai-je arrêtée ? Je te rappelle que je suis policier. Je la soupçonnais d'avoir volé ton pick-up qu'en temps normal tu ne prêtes *jamais* à personne.

De nouveau, Maggie regarda Delilah en sourcillant puis reprit :

— Non, elle n'a pas eu d'accrochage, mais elle conduit sans permis. Et je pourrais parfaitement l'arrêter pour incapacité de présenter son permis de conduire à un agent de police... Je me fiche que tu aies vu le document ! Moi, je n'ai rien vu !

Tournant brusquement le dos à Delilah, elle s'éloigna de quelques mètres.

— Non, je ne le ferai pas, mais je pourrais... Ecoute, Cam, j'ai l'impression que cette fille n'a pas la conscience tranquille. Es-tu sûr de bien la connaître ?

Après une courte conversation, elle finit par raccrocher et revint vers Delilah.

— Cam se porte garant pour vous et m'a demandé de vous laisser repartir. Et, par amitié pour lui, c'est ce que je vais faire, mais je vous préviens : la prochaine fois que vous conduisez sans permis, Cam ne pourra rien pour vous. Compris ?

— Compris, dit Delilah en serrant les mâchoires pour éviter d'ajouter des choses déplaisantes.

Ainsi qu'elle l'avait appris à ses dépens, il était inutile de tenir tête à un policier ; cela se retournait toujours contre vous. Elle prit donc le parti de se taire et revint au restaurant en respectant scrupuleusement les limitations de vitesse. Quand elle arriva au Perroquet Rouge, une partie de sa colère s'était évanouie, pour laisser place à la peur...

8.

Cam croyait que Delilah viendrait aussitôt lui faire le compte rendu de sa mésaventure avec Maggie. Surpris qu'elle ne se montre pas, il se mit donc en quête de son employée qu'il trouva dans sa chambre.

Elle faisait ses bagages…

— Que se passe-t-il ?

— Je pars.

— C'est ce que je vois… Et pourquoi ?

Elle lui jeta un coup d'œil furieux.

— Parce que je ne peux pas me permettre de m'attarder dans la région alors que votre petite amie va établir un rapport de police sur moi. Avec les risques que cela peut entraîner…

— Maggie n'est pas ma petite amie, je vous l'ai déjà dit. En outre, vous ne lui avez pas montré votre permis de conduire, elle ne peut donc pas dresser de rapport sur vous.

— Nul doute qu'elle va venir vous demander mon numéro de sécurité sociale ou que sais-je encore. Et comme vous ne l'avez pas, elle voudra savoir pourquoi. Elle n'est pas du genre à laisser tomber.

— Vous dramatisez. Il ne va rien se passer.

— Je dramatise ? s'écria-t-elle en lui adressant un

regard outré. Votre amie était persuadée que j'avais volé votre pick-up ! Elle voulait me jeter en prison ! Et le pire, c'est que je ne pouvais pas protester ou lui dire ma façon de penser, sinon, elle m'aurait conduite d'autorité au poste.

— Calmez-vous ! Elle ne pouvait pas vous incarcérer sans raison. Surtout après notre discussion téléphonique. Maggie est un bon policier qui a le sens de la justice. Elle faisait juste son métier. En vous prêtant le pick-up, je n'ai pas songé que vous pouviez être contrôlée par la police. C'est à moi qu'il faut vous en prendre, pas à elle.

— Je me moque du responsable. Je ne peux pas me permettre d'attirer l'attention sur moi. Vous comprenez, n'est-ce pas ?

— Ce que je comprends, c'est que vous êtes terrorisée par un rustre, alors que c'est lui qui aurait des raisons de s'inquiéter. Et, encore une fois, je suis surpris que vous ne vouliez pas le dénoncer aux autorités. Pourquoi ne pas leur raconter ses brutalités et les laisser traiter l'affaire ? Frapper une personne et la séquestrer constitue un grave délit. Peut-être s'est-il enfui et vous a-t-il rayée de son existence ?

— C'est impossible. Vous ne comprenez pas...

— Probablement. Il n'empêche que vous ne pouvez pas fuir en permanence. Vous n'en avez pas la force. Ici, au moins, vous avez un travail et un toit.

— Pourquoi tenez-vous tant à ce que je reste ? demanda-t-elle alors d'une voix rauque.

— Je veux vous aider, marmonna-t-il, chassant le désir violent de la prendre dans ses bras.

A cet instant, il croisa le regard de la jeune femme et y lut une immense lassitude... Une lassitude toutefois teintée d'autre chose. Quelque chose qui n'avait rien à voir avec l'envie d'être réconfortée, et qui s'apparentait davantage à de la sensualité... Leur attirance mutuelle était bien réelle, même s'il la refoulait en permanence.

— Maggie vous laissera tranquille. J'y veillerai, lui promit-il alors.

— Vous tenez beaucoup à elle, n'est-ce pas ?

— Comme vous le savez, nous sommes de vieux amis.

— Vous êtes plus que cela pour elle... L'autre jour, elle était en colère contre vous, comme seule une femme amoureuse peut l'être.

— Je vous assure que vous vous trompez, lui assura-t-il en voulant croire à ses propres paroles. Nous avons eu une relation, autrefois, mais il y a longtemps que c'est terminé.

— Très bien ! lâcha Delilah d'un ton agacé. Elle n'a aucun sentiment pour vous, c'est pour cette raison qu'elle me déteste et veut me jeter en prison. Parfois, vous faites preuve d'un surprenant manque de psychologie, Cam.

« Honnêtement, Cam, parfois, tu ne comprends rien à rien », lui avait dit Maggie, quelques jours auparavant. Et voilà que Delilah à son tour déplorait son manque de perspicacité.

— Si je vous promets d'arrondir les angles avec Maggie, resterez-vous ?

Elle le considéra quelques instants, perdue dans ses pensées.

— Oui... C'est sûrement imprudent de ma part, mais oui, je resterai.

— Ici, vous êtes en sécurité, Delilah.

— Je l'espère.

— A propos... J'ai un autre emploi à vous offrir, outre celui de serveuse. Si cela vous intéresse, bien sûr...

— De quoi s'agit-il ? demanda-t-elle, immédiatement sur ses gardes.

— Je voudrais vous confier la gestion des salaires. Naturellement, je vous paierai en conséquence.

C'était Cat qui lui avait suggéré cette idée, sachant que Cam détestait s'occuper de comptabilité. Selon sa sœur, sans être pourvue de diplôme, Delilah semblait avoir de l'expérience en la matière. Assez en tout cas pour s'occuper des salaires de quelques employés.

— Vous me faites suffisamment confiance pour me confier la gestion des paies ?

— Il semblerait, non ?

Evidemment, il jetterait de temps en temps un coup d'œil sur son travail. Cependant, quels que soient les secrets que Delilah dissimulait, il ne la soupçonnait pas de malhonnêteté.

— Eh bien, ajouta-t-il, acceptez-vous ?

— Je... je ne sais pas quoi dire.

— Dites simplement oui. Venez dans mon bureau, dit-il en se levant. Je me sers habituellement d'un logiciel pour le traitement des salaires, je vais vous expliquer comment il fonctionne.

— Et le déjeuner ?

— Nous avons encore le temps. Et puis il y a Martha et Georges...

Après avoir allumé son ordinateur, Cam ouvrit le programme et lui expliqua brièvement son fonctionnement, puis la pria de s'asseoir à sa place et de se servir à son tour des différentes fonctions du logiciel. Comme il s'y attendait, Delilah n'eut aucune difficulté à l'utiliser.

— Allez-vous entrer mes coordonnées dans l'ordinateur ? lui demanda-t-elle brusquement en se tournant vers lui d'un air inquiet.

— Dans la mesure où je vous paie en espèces, non.

— N'auriez-vous pas de problèmes, en cas d'audit ?

— Probablement, mais je n'en attends pas dans un avenir proche.

— Je ne veux pas vous créer d'ennuis, Cam, déclara-t-elle, visiblement soucieuse.

— Cessez de vous tracasser.

— Je ne peux pas m'en empêcher.

Mais Cam, à cet instant précis, ne se préoccupait pas le moins du monde de ses éventuels problèmes fiscaux. Delilah était là, tout près de lui, si près... Tout ce qu'il avait à faire, c'était pencher la tête pour découvrir le goût de sa bouche. Une bouche qui hantait ses rêves et qu'il embrassait éperdument durant ses longues nuits d'insomnie...

Passant rapidement la langue sur ses lèvres, Delilah murmura :

— Cam ?

Brusquement il se ressaisit.

— Allons rejoindre les autres !

Puis il sortit vivement du bureau avant que sa volonté ne fléchisse.

Plus tôt il s'entretiendrait avec Maggie, mieux ce serait, décida-t-il. Il lui rendit donc visite au commissariat de police. Ce n'était pas l'endroit idéal pour discuter, mais il espérait qu'elle accepterait de faire une pause et de prendre un café avec lui. En priant pour qu'elle ne lui en veuille plus...

Quand il pénétra dans son bureau, Maggie leva les yeux vers lui, mais aucun sourire ne vint illuminer ses traits. Elle n'avait pas non plus l'air en colère. Non, elle affichait plutôt un air impénétrable. Il se rappela alors qu'elle était une excellente joueuse de poker.

— Maggie, as-tu cinq minutes à me consacrer, je te prie ?

Toujours impassible, elle le considéra un instant avant de répondre :

— Entendu. Je vais prendre un café, annonça-t-elle à son collègue en se levant.

Ce ne fut qu'une fois qu'ils furent installés autour de la table du café d'en face et qu'on leur eut servi des cafés que Maggie daigna s'adresser à Cam :

— Que veux-tu ?

— Es-tu toujours en colère contre moi ?

Elle avala une gorgée de café, laissant dériver son regard vers la fenêtre.

— Non... Tu avais raison, mon idée était stupide.

— Disons plutôt qu'elle n'était pas adaptée à la situation, nuança-t-il.

— Je me suis vraiment sentie idiote, après la scène que je t'ai faite.

— Allons, ce n'est rien...

— Rassure-toi, je m'en suis remise.

— Qu'est-ce qui a déclenché cette minicrise ?

Maggie soupira et, reportant son regard sur Cam, lui annonça d'une petite voix :

— Lorna est de nouveau enceinte.

Lorna, la jeune sœur de Maggie, était déjà mère de deux enfants et rayonnait de bonheur dans sa vie de mère et d'épouse.

— Ah, je comprends mieux… Tu as soudain entendu le tic-tac de ton horloge biologique.

Elle lui jeta un regard noir qui lui fit aussitôt regretter son trait d'humour déplacé.

— Non ! Mais je… j'ai entendu dire à mes parents qu'ils devaient se réjouir qu'elle fasse des enfants car ce n'est pas grâce à moi qu'ils auraient de nouveaux petits-enfants, expliqua-t-elle en souriant d'un air triste.

— C'est injuste ! Tu as encore largement le temps d'en avoir.

— Encore faudrait-il que je rencontre quelqu'un ! Cela fait des mois que je ne suis pas sortie avec un homme. Et ils ne se pressent pas à ma porte… Je ne te parle même pas du mariage !

— Tu pourrais avoir de nombreux hommes à tes pieds, si tu le voulais.

— Tu as probablement raison, il va falloir que je me ressaisisse. Mais changeons de sujet, veux-tu ? Et oublions ce que je t'ai dit l'autre jour.

— Avec plaisir, dit-il en lui présentant le plat de la main droite. Donc, nous sommes de nouveau amis ?

— Amis, dit-elle en frappant dans sa main.

Elle serra ensuite sa tasse entre ses paumes, le fixant avec attention quelques instants.

— Que voulais-tu me dire, Cam ?

Il avait longuement réfléchi à la façon d'évoquer les problèmes de Delilah… Sans trahir les secrets de la jeune femme, il devait tout de même livrer quelques informations à Maggie afin qu'elle puisse l'aider.

— C'est à propos de Delilah…

— Tiens donc ! ironisa-t-elle.

— Je crois qu'elle a des ennuis.

— Avec la loi ?

— Non. Elle fuit un petit ami possessif et violent.

— Comment le sais-tu ? demanda Maggie en le scrutant attentivement.

— Elle me l'a dit. Et puis elle portait des marques de coups quand elle a débarqué chez moi.

A cet instant, il revit les hématomes sur sa peau satinée... Un frisson de dégoût le parcourut.

— Veut-elle porter plainte contre lui ? poursuivit Maggie.

— J'ai essayé de l'en convaincre, mais elle prétend que si elle le dénonce à la police, il la retrouvera.

— Ce qui explique son refus de me montrer son permis de conduire.

— Exact. Elle redoute qu'il ne retrouve sa trace si la police prend ses coordonnées.

Maggie se mit à pianoter nerveusement sur la table.

— Comment peux-tu être certain qu'elle dit la vérité ? Bien sûr, tu as vu la trace des coups, mais ne peuvent-ils avoir une autre origine ?

Le regard de Cam se durcit.

— Ce forcené a tenté de l'étrangler, Maggie ! Il y avait encore la marque de ses doigts sur son cou !

— Bien... Bien... Et qu'attends-tu exactement de moi ?

— Je suis venu te demander de ne rien faire justement. Te prier de ne pas enquêter sur elle. Du moins jusqu'à ce que je la convainque de se rendre au commissariat pour confier son histoire.

— Il est difficile de mener des recherches sur une personne quand on n'a ni son permis de conduire, ni son numéro de sécurité sociale. J'ai déjà essayé à partir de son nom, mais rien ne s'est affiché sur l'ordinateur.

— Au nom de notre amitié, je te conjure de ne pas poursuivre tes recherches. Du moins pour l'instant.

— Si son histoire est véridique, elle devrait être sous protection, dans un centre agréé pour femmes battues, argua Maggie.

— Les femmes ne sont pas toujours bien protégées dans ce genre d'endroit, tu le sais. En outre, elle meurt de peur. Je sais qu'il y a des éléments qui m'échappent encore, mais elle m'en dira bientôt davantage, j'en suis convaincu.

Maggie ouvrit alors de grands yeux.

— Mon Dieu, Cam ! Mais tu es amoureux de cette fille, ma parole !

— Non ! nia-t-il vigoureusement. Je veux juste l'aider.

— Prends garde à toi, fit Maggie d'un air dubitatif.

— Feras-tu ce que je te demande ? répliqua-t-il sans prêter attention à sa mise en garde.

Maggie hésita puis hocha la tête.

— Pour toi, oui... Mais toute cette histoire me déplaît.

— Merci, Maggie.

— La meilleure chose que tu puisses faire pour l'aider, c'est de la convaincre de porter plainte contre lui et de regagner un centre agréé.

— Je sais. J'essaierai.

Ce fut le cœur plus léger que Cam monta dans son pick-up. Il pouvait désormais certifier à Delilah que le policier Maggie Barnes ne lui créerait pas d'ennuis. Naturellement, elle n'allait pas apprécier qu'il ait confié son histoire à Maggie, mais il n'avait pas eu le choix.

9.

— Puis-je vous parler une minute ?

Delilah sursauta en entendant la voix de Cam. Perdue dans ses rêveries, elle terminait la mise en place du restaurant et ne l'avait pas entendu arriver.

— Bien sûr.

Mal à l'aise, elle le suivit jusqu'à son bureau.

— Prenez un siège, ordonna-t-il après avoir refermé la porte derrière eux.

— J'ai le sentiment que vous allez m'annoncer une mauvaise nouvelle, risqua-t-elle d'une voix inquiète.

— Pas du tout. Je voulais juste vous dire de ne plus vous faire de souci au sujet de Maggie. Elle m'a promis de ne pas lancer de recherches sur vous.

— Et... elle a accepté *spontanément* ? Sans exiger d'explication ?

— Pas exactement, marmonna-t-il en sourcillant. J'ai été contraint de lui dire que vous fuyiez un petit ami violent et possessif.

— Pardon ? s'écria Delilah en pâlissant brusquement.

D'un bond, elle se leva de sa chaise et se mit à faire nerveusement les cent pas dans le bureau.

— Je vous faisais confiance, martela-t-elle. Comment

avez-vous pu me trahir de cette façon ? Avec vos airs de...

— Ne vous emportez pas ! la coupa-t-il. Je conçois que vous soyez à cran, mais reconnaissez que je pouvais difficilement la prier de ne pas enquêter sur vous sans lui fournir la moindre explication.

— Comment pouvez-vous être certain qu'elle ne fera rien ?

— Parce qu'elle me l'a promis et que je la crois.

— Vous avez de la chance. Moi, je ne lui fais pas confiance, répliqua-t-elle d'un ton cinglant.

— Comme moi, Maggie pense que vous devriez porter plainte contre lui.

— Eh bien votre Maggie ferait mieux de s'occuper de ses affaires, marmonna Delilah. Et vous aussi !

Et, furieuse, elle sortit du bureau, consciente que si elle restait une seconde de plus, elle allait perdre son sang-froid.

Quelques jours plus tard, Delilah s'attela à la gestion des salaires... et se questionnait toujours sur le bien-fondé de sa présence au Perroquet Rouge. Et si, malgré tout, Maggie se renseignait sur elle ? N'allait-elle pas déclencher un processus qu'elle ne pourrait pas contrôler ? Cela dit, cette dernière ne représentait pas l'unique danger. Ni le pire d'ailleurs. Cam constituait une bien plus grande menace... Sous un angle différent mais tout aussi angoissant. Pourquoi avait-il pris une place si importante dans sa vie ? Et de façon si rapide ? Alors qu'elle n'était même pas libre, dans sa tête, de commencer une nouvelle relation, pourquoi ressentait-elle pour lui des sentiments plus forts chaque jour ?

Elle avait tout d'abord cru à un jeu de son imagination. Il l'avait accueillie sans lui poser de questions, puis recueillie sous son toit. Et il était normal qu'elle lui en soit reconnaissante. Mais il existait une réelle attirance entre eux, et qui n'avait rien à voir avec un quelconque sentiment de reconnaissance... Pourtant, il ne l'avait pas embrassée, n'avait pas eu de geste ambigu envers elle ; mais ses regards étaient suffisamment évocateurs ! Comme ce fameux matin où, ayant oublié ses vêtements, elle s'était enroulée dans une serviette en éponge après la douche et l'avait croisé devant la porte de la salle de bains... Le regard de Cam avait alors glissé sur son corps pour s'attarder sur sa poitrine... Lorsque leurs yeux s'étaient de nouveau croisés, elle avait reconnu l'ombre du désir dans le gris de ses prunelles... Elle-même avait frémi... Il s'était alors précipité dans la salle de bains. Mais son regard avait eu le temps de le trahir.

Brusquement, la porte du bureau s'ouvrit et arracha Delilah à ses réflexions. Elle sursauta en reconnaissant Gabe Randolph qui la fixa soudain d'un air inquisiteur et méprisant.

— Cam n'est pas ici, se hâta-t-elle de dire, terriblement mal à l'aise.

— Je vois, siffla-t-il en plissant les yeux. Puis-je savoir ce que vous faites dans son bureau ?

Ignorant son ton agressif et se forçant à surmonter son malaise, elle répliqua d'un air souverain :

— Je n'ai pas à répondre à cette question.

A ces mots, le visage de Gabe se durcit et il s'avança vers elle.

— De quel droit consultez-vous le livre des comptes du restaurant ? s'insurgea-t-il.

— Je m'occupe de la gestion des salaires. Satisfait ?

— J'ai peine à croire que Cam vous autorise à toucher à sa comptabilité.

— C'est pourtant le cas. Contrairement à vous, il ne pense pas que je vais m'enfuir avec la caisse.

— Parce que, contrairement à moi, Cam n'est pas assez méfiant !

— Ecoutez, ce ne sont pas vos affaires, mais celles de votre frère. Allez lui demander vous-même, si vous ne me croyez pas !

— C'est ce que je vais faire de ce pas, ma jolie, répondit-il d'un ton arrogant tout en se dirigeant vers la porte.

Sur le seuil, il se retourna et lui jeta un dernier regard dédaigneux.

— Profitez bien de vos avantages, car je vous préviens, cela ne va pas durer longtemps.

Et, là-dessus, il fit violemment claquer la porte derrière lui.

De rage, Delilah jeta un dossier en direction de la porte fermée.

Comment Cam pouvait-il supporter un frère aussi odieux ?

Avant que Delilah ne travaille pour lui, Cam ne se rendait pas compte combien il était nerveusement épuisant de ne pouvoir abandonner le restaurant sans se faire du souci sur sa bonne marche. Martha travaillait dur, naturellement, mais elle n'avait pas l'étoffe d'un manager. Et jamais il ne s'était senti l'esprit libre en lui confiant le restaurant pour quelques heures. Avec Delilah, c'était différent. Elle pouvait gérer les éventuelles difficultés en son absence.

Oui, Delilah Roberts lui était devenue indispensable. Que ferait-il quand elle partirait ? Parce qu'elle finirait forcément par s'en aller... D'ailleurs, s'il ne l'en avait pas dissuadée à plusieurs reprises, elle serait déjà loin à l'heure actuelle. Mais dès qu'elle aurait retrouvé ses marques dans la vie, il ne serait plus en mesure de la retenir.

En tout début d'après-midi, alors qu'il revenait d'une course que, dans le passé, il aurait dû remettre au lundi, jour de fermeture, il aperçut Gabe installé au bar. Son frère affichait une expression fort sombre.

— Que t'arrive-t-il ? demanda-t-il en passant derrière le comptoir.

— Où étais-tu ? As-tu perdu la tête ?

Cam le regarda d'un air surpris. Pourquoi son frère était-il si furieux ?

— Je suis allé faire une course ; pardonne-moi de ne pas t'en avoir informé, lança-t-il avec humour. Quant à ma tête, elle est toujours sur mes épaules, il me semble.

Mais son frère n'avait manifestement pas envie de plaisanter. Il haussa les épaules et jeta un regard circulaire dans la salle.

— As-tu vu Delilah ? demanda-t-il en n'apercevant que Martha.

A ces mots, Gabe se renfrogna encore.

— Oui, je l'ai vue. Elle est dans ton bureau et fouine dans ton livre de comptes. Il paraît que tu lui aurais confié la gestion des salaires.

Cam remplit une chope de bière qu'il plaça devant son frère.

— Oui, et alors ? Cela te pose-t-il un problème ?

— Non. En revanche, toi, tu vas en avoir sous peu. Tu lui donnes carte blanche pour détourner des fonds. Félicitations !

— Pour commencer, je vérifie *aussi* les comptes. Et je les soumettrai également à l'approbation de Cat au moment de la déclaration des revenus. Pour l'instant, tout est en règle. Deuxièmement, je fais confiance à Delilah.

— Pourquoi ? Tu l'as trouvée dans la rue et tu ne sais rien sur elle !

— J'en sais suffisamment pour lui faire confiance. Tu es en colère contre elle parce qu'elle a refusé tes avances, c'est tout.

— Franchement, crois-tu que ce soit la première qui me dise non ? Non, ce n'est pas pour cette raison que je me méfie d'elle. Je connais ce genre de femme, c'est tout. Elle cherche à tirer profit de toi.

Cam ne répondit pas. Si son frère le mettait en garde, c'était parce qu'il se faisait vraiment du souci pour lui. Cependant, son attitude commençait sérieusement à lui porter sur les nerfs.

— Je ne suis pas riche, reprit-il. Je ne vois pas ce qu'elle pourrait attendre de moi.

— Un homme n'a pas besoin d'être riche pour se retrouver piégé par une femme.

— Delilah n'est pas une intrigante. Je sais les reconnaître.

— Cette fois, tu t'es laissé abuser, Cam, lui assura Gabe avant d'avaler une longue gorgée de bière. Et tu sais pourquoi ? Parce que tu es fou de désir pour elle…

— Mais qu'est-ce que vous avez tous avec cette histoire ? s'emporta subitement Cam. Je ne désire pas

Delilah ! En quelle langue dois-je le dire pour me faire comprendre ?

Il n'avait jamais menti de sa vie et s'étonna de le faire avec autant d'aplomb. Mais pour rien au monde il ne reconnaîtrait devant Gabe ou un autre membre de sa famille l'attirance insensée qu'il ressentait pour Delilah.

— Je peux tout de même aider une femme sans nourrir d'arrière-pensée, bougonna-t-il, furieux contre lui-même et contre tout le monde.

Et il se mit à disposer avec fébrilité des verres sur l'égouttoir au-dessus du bar, tout en se demandant comment se débarrasser de son frère.

— Bien sûr, fit Gabe, peu convaincu en le considérant avec attention quelques instants. Depuis combien de temps n'es-tu pas sorti avec une femme ? ajouta-t-il à voix basse en se penchant vers lui.

— Je ne sais pas. D'ailleurs, je ne vois pas le rapport.

— Tu n'es pas sorti avec une femme depuis que Delilah s'est installée ici, n'est-ce pas ?

— C'est une pure coïncidence, marmonna Cam en haussant les épaules. Je suis très occupé en ce moment.

— Ton travail ne t'a jamais empêché de te distraire, avant… Si, comme tu le prétends, tu es trop occupé pour sortir, c'est parce que tu n'as qu'une obsession en tête : coucher avec Delilah.

Cette fois c'en était trop ! Une bouffée de colère submergea Cam. Une bouffée d'autant plus violente que Gabe avait raison.

— Tais-toi, Gabe ! lui ordonna-t-il en l'attrapant par le col.

— Rassure-toi ! je n'en dirai pas plus. Je détiens à présent la preuve que j'ai raison.

Au diable les clients ! pensa Cam. Si Gabe continuait sur ce ton, il risquait bien de recevoir un coup de poing tout fraternel en pleine figure.

— Tu n'as rien prouvé du tout, à part ta stupidité ! tonna-t-il.

— Désolée de vous interrompre messieurs, mais il serait préférable de poursuivre cette conversation à l'extérieur.

Fixant Cam d'un regard étrange, Delilah ajouta :

— C'est toujours ce que vous conseillez aux clients un peu énervés, non ?

Avait-elle entendu leur conversation ? se demanda immédiatement Cam. Qu'allait-elle penser ? Il était bien tenté de suivre ses conseils et d'aller en découdre avec Gabe dans l'arrière-cour. Allons ! Il n'était plus en âge de se bagarrer avec son frère, même si ce dernier méritait une belle correction.

— Nous avons terminé, laissa-t-il tomber en le relâchant. Quant à toi, Gabe, je te conseille de filer.

Ce dernier jeta un regard mauvais à Delilah, puis jaugea son frère d'un air dégoûté avant de lancer quelques pièces sur le comptoir.

— Tu n'es qu'un imbécile, Cam.

Et, sur cette déclaration solennelle, Gabe sortit du Perroquet Rouge.

Cam et Delilah restèrent un instant silencieux.

— Il ne me porte vraiment pas dans son cœur, soupira Delilah.

— Pourquoi pensez-vous qu'il s'agissait de vous ?

— Mon intuition... Elle ne me trompe jamais.

Sans relever, Cam s'empara de la chope de son frère et la plongea dans de l'eau chaude et mousseuse.

— Ne faites pas attention à lui ! lui conseilla-t-il. Parfois, il se comporte comme un idiot.

— Difficile de l'ignorer ! Tout à l'heure, il est venu dans le bureau et a poussé les hauts cris en constatant que je m'occupais de votre comptabilité.

— Il faudra bien qu'il s'y fasse.

Pour se donner une contenance, Cam se mit à essuyer le comptoir.

— Il est persuadé que je vais vous escroquer. D'ailleurs, il m'a pratiquement traitée de malhonnête. J'ai cru qu'il allait appeler la police sur-le-champ !

Elle laissa fuser un rire sec avant d'ajouter :

— Maggie Barnes aurait été ravie.

Delilah jouait les indifférentes, mais Cam n'était pas dupe ; il percevait nettement des inflexions d'angoisse dans sa voix. La saisissant avec douceur par le bras, il lui sourit d'un air rassurant.

— Je sais que vous êtes honnête Delilah, et cela me suffit. Ne prêtez pas garde aux sornettes de Gabe.

Leurs yeux s'étaient enchaînés malgré eux, et un troublant frisson parcourut la jeune femme... Elle laissa alors son regard glisser vers la main vigoureuse qui l'étreignait puis, relevant brusquement la tête vers Cam, lui demanda à brûle-pourpoint :

— Est-ce vrai ?

— De quoi parlez-vous ?

— Est-il vrai que vous voulez coucher avec moi ?

10.

Cam relâcha instantanément Delilah et se rembrunit.

— Vous avez entendu notre conversation, n'est-ce pas ? demanda-t-il sèchement.

— Oui, avoua-t-elle, tout en regrettant sa question.

Lui tournant le dos, Cam se remit à astiquer le comptoir.

— Delilah, je vous ai déjà dit que tout ce que j'attendais de vous, c'était que vous effectuiez correctement votre travail.

— Cela, c'est ce que vous *attendez,* Cam... Mais que voulez-vous ?

En prononçant ces mots, elle savait qu'elle le poussait dans ses ultimes retranchements. Tout comme elle savait pertinemment qu'elle avait tort, car il ne pouvait rien se passer entre eux... Néanmoins, la petite scène du bar l'avait fait soudain douter de ses certitudes.

Cessant de s'acharner sur le comptoir, Cam la regarda d'un air absent, jura entre ses dents... et sortit de la pièce.

Delilah poussa un long soupir tremblant... Mon Dieu ! Elle venait de détruire quelque chose de précieux entre eux, elle en avait bien peur.

— Que s'est-il passé ? demanda Martha qui venait prendre une commande. Je n'ai jamais vu Cam et Gabe en venir aux mains.

Delilah, qui avait recouvré la maîtrise d'elle-même, se força à sourire.

— Une histoire entre frères, j'imagine.

— Ou une histoire de femme, répliqua Martha d'un air entendu. Je ne suis pas aveugle, tu sais... Tu as un faible pour Cam, n'est-ce pas ?

Hélas, oui ! pensa Delilah avant de répondre avec nonchalance :

— Je ne suis pas la seule. Tout le monde l'apprécie, non ?

— Allons, tu sais très bien ce que je veux dire... D'ailleurs, Gabe l'a lui aussi compris.

— Je ne suis pas intéressée par Cam sur ce plan-là, si c'est ce que tu insinues, pas plus qu'il ne l'est par moi, décréta Delilah d'un ton catégorique, sachant qu'elle avançait un gros mensonge. Quoi que puisse en penser son frère.

— Si tu le dis, ma chérie...

— Pourquoi Gabe m'en veut-il ? enchaîna Delilah. Au début, je pensais qu'il me tenait rigueur d'avoir repoussé ses avances, mais je ne crois pas qu'il s'agisse de cela.

— Il craint sûrement que Cam ait de nouveau le cœur brisé. Il ne veut pas que tu le fasses souffrir.

— Cam a eu le cœur brisé par une femme ?

Voilà qui était nouveau pour elle. Il ne paraissait pas être le genre d'homme à souffrir d'un amour malheureux. Pourtant, Martha acquiesça et baissa la voix.

— Autrefois, à cause de sa fiancée.

Sa fiancée ? Elle savait qu'il n'était pas marié, mais elle ne l'avait jamais imaginé fiancé...

— Laisse-moi apporter ma commande et nous en reparlerons, promit Martha en s'éloignant avec son plateau.

Malheureusement, elle ne put tenir sa promesse. Le Perroquet Rouge ne désemplit pas de la journée, et ni l'une ni l'autre n'eurent un instant de libre pour rediscuter.

Cam aussi était fort occupé, constata Delilah tandis que la soirée battait son plein. Occupé notamment à faire du charme à la clientèle féminine qui en était de toute évidence ravie... Delilah savait de différentes sources que Cam finissait souvent ses soirées en charmante compagnie. Toutefois, depuis qu'elle habitait chez lui, il n'avait pas passé une seule nuit à l'extérieur. D'ailleurs, ce soir, elle croyait voir de l'ostentation dans ses manœuvres de séduction... Cherchait-il à la contrarier ?

Assez ! Elle n'avait nul droit d'être jalouse. Cam pouvait agir à sa guise, nouer des idylles avec des femmes si tel était son bon plaisir. Elle aurait même dû s'en réjouir, être ravie qu'il ne vienne pas l'importuner.

Pourtant, ce n'était pas le cas.

Pourquoi le hasard avait-il voulu qu'elle rencontre Avery *avant* ? Sans cette ombre menaçante qui planait sur sa vie, elle aurait pu lier plus intimement connaissance avec Cam... Il était l'opposé d'Avery : foncièrement honnête... et néanmoins sexy, se dit-elle en l'observant du coin de l'œil servir un verre de liqueur à une femme.

Sous ses apparences de bel homme, Avery était pour sa part le mal incarné... Agacée, Delilah refoula ses souvenirs. Elle ne voulait plus jamais repenser à lui. Elle avait fui l'enfer conjugal pour toujours, du moins l'espérait-elle... Toutefois, elle se sentait coupable de n'avoir pas vérifié les suspicions qu'elle nourrissait envers Avery concernant sa première femme... Allons, il ne s'agissait que de suppositions. Et contrairement à la malheureuse, elle était encore en vie et entendait bien le rester.

Le lundi suivant, comme Delilah entrait dans la cuisine, elle trouva Cam au téléphone.

— Dis-lui que nous irons là-bas une autre fois, assurait-il. A condition qu'il ne vomisse pas dans ma voiture... A bientôt. Et bon courage !

Il raccrocha et conclut en secouant la tête :

— Le pauvre...

— De qui parlez-vous ?

— De Mark. Je devais aller visiter le plus grand aquarium du Texas avec Max, mais il est malade. Il a un virus. En fait, toute la famille a attrapé ce virus, à part Mark qui doit prendre soin des trois malades.

— Vous auriez pu lui proposer votre aide...

— Vous plaisantez ? fit-il en prenant un air horrifié. Ils sont tous en train de vomir, vous rendez-vous compte ?

Devant la mine de Cam, Delilah éclata de rire.

— Comment est l'aquarium ? demanda-t-elle. Immense, j'imagine, si c'est le plus grand du Texas. Il y a des années, j'ai visité celui de Houston, mais je ne me souviens plus très bien de mes impressions.

— C'est un superbe aquarium. Voulez-vous que je vous y emmène ?

Si elle n'avait écouté que l'élan de son cœur, elle aurait immédiatement acquiescé. La perspective d'une telle visite la remplissait de joie. Mais elle n'était pas sûre que cela fût une très bonne idée.

— Je ne cherchais pas à me faire inviter. D'ailleurs, vous avez certainement mille choses à faire aujourd'hui.

— J'aime me rendre à l'aquarium. Pourquoi croyez-vous que je me sois proposé d'y emmener Max ?

— Parce que vous êtes intrinsèquement bon.

Un sourire amusé éclaira le visage de Cam.

— Je ne suis pas le saint pour lequel vous me prenez. Je vais souvent là-bas avec mes nièces et neveux parce que j'adore cet endroit. Je serai ravi de le visiter avec vous.

— Non, ce n'est pas la peine...

— Pourquoi ? Nous avons toute la journée devant nous et rien de bien urgent à faire. Allez, dites oui. Vous verrez, nous allons passer un très bon moment.

Oh, elle n'en doutait pas... En sa compagnie, elle serait allée au bout du monde... La voix de la prudence la pressait de refuser... Elle n'avait aucune raison d'accepter cette proposition. Aucune raison de se divertir et de passer du temps avec Cam en dehors du Perroquet Rouge.

C'était décidé : elle n'irait pas !

— Je suis prête dans dix minutes ! lança-t-elle.

— Que voulez-vous visiter en premier ? lui demanda-t-il comme ils pénétraient dans l'aquarium.

— A vous de me faire découvrir les lieux.

Cam se révéla un excellent guide. D'ailleurs, il connaissait non seulement l'aquarium dans ses moindres recoins, mais aussi les gens qui y travaillaient, ce qui rendait la visite d'autant plus chaleureuse. Ils commencèrent par la salle des alligators avant d'aller rendre visite aux oiseaux protégés qui vivaient dans les marais, aux tortues de mer et aux mammifères marins. Ils passèrent ensuite un bon moment dans la salle des bernard-l'hermite où des enfants s'amusaient à en prendre dans leurs mains sous la surveillance bienveillante du personnel.

— Prenez-en un ! l'encouragea Cam. Je suis sûr que vous en brûlez d'envie.

Elle se laissa convaincre en riant et fut fascinée par la curieuse créature. Ils se dirigèrent alors vers la salle des hippocampes. Cam lui apprit que, chez les hippocampes, c'étaient les mâles qui portaient les œufs. Il paraissait passionné par cette espèce animale. Mais il était passionné par toutes les espèces qui peuplaient l'aquarium, et savait agrémenter ses explications sérieuses de commentaires anecdotiques, ce qui rendait la visite des plus originales.

— D'où tenez-vous tout ce savoir sur la vie marine ? lui demanda-t-elle.

— Si vous étiez venue ici aussi souvent que moi, vous en sauriez autant, lui assura-t-il en souriant.

— Venez-vous réellement *très* souvent ici avec Max ?

Elle avait du mal à imaginer le turbulent garçonnet parmi les immenses parois de verre contenant des tonnes d'eau. Il fallait être courageux pour le surveiller.

— J'avoue que la première fois, ce fut une véritable aventure, lui dit-il en riant. Il n'avait pas encore trois ans. Il a visité tout l'aquarium en trente-sept secondes montre en main ! Avec moi qui galopais derrière...

— Trente-sept secondes ? Eh bien, il courait très vite pour un enfant de son âge !

— Bon, d'accord, j'exagère un peu. Mais je vous

assure que ce petit diable est très rapide. Heureusement, les visites suivantes ont été bien plus calmes.

Il était regrettable que Cam n'ait pas d'enfant alors qu'il semblait les adorer, pensa Delilah. Néanmoins, cela ne paraissait pas le déranger. N'avait-il pas affirmé qu'il n'était intéressé ni par le mariage, ni par la paternité ?

Ils passèrent la journée à l'aquarium, entre les mérous, les requins et les récifs de corail aux couleurs de l'arc-en-ciel. Cam éclata de rire lorsque, se retournant brusquement, Delilah se retrouva nez à nez avec une murène. Elle poussa un petit cri et saisit instinctivement le bras de son guide attitré.

— C'est aussi amusant de venir avec vous qu'avec les enfants, dit-il dans un sourire, tout en lui ébouriffant les cheveux.

Un sourire qui s'évanouit au fur et à mesure que leurs regards s'enchaînaient…

La jeune femme sentit ses tempes bourdonner. Cam fit lentement glisser sa main de ses cheveux à sa nuque. Soudain, ses yeux gris s'assombrirent, et un éclat qu'elle y avait déjà entraperçu se mit à danser au fond de ses prunelles. Un éclat qui avait l'intensité du désir…

Alors, l'espace d'un instant, elle oublia tout. Elle oublia pourquoi elle n'aurait pas dû venir, et surtout la raison pour laquelle elle ne devait pas l'encourager à l'embrasser. Pendant un bref moment qui contenait le goût de l'éternité, elle fut une femme comme une autre, en train de passer une journée merveilleuse avec un homme dont elle pouvait tomber amoureuse…

Malheureusement, la réalité était tout autre, se rappela-t-elle brusquement. Elle était l'épouse d'un forcené qui la tuerait s'il la retrouvait !

Cam laissa retomber sa main, et le moment de grâce s'évanouit.

Mais ils savaient tous les deux que ni l'un ni l'autre n'oublieraient cet instant magique...

Ils finirent leur visite devant l'aquarium des dauphins.

— Je crois que ce sont mes préférés, déclara Delilah le regard rêveur. Enfin... Tous sont fascinants dans leur genre.

Elle adressa alors un sourire éclatant à Cam. Elle aurait aimé lui expliquer ce que cette journée avait signifié pour elle.

— Merci pour cette merveilleuse journée, lui dit-elle simplement.

— Mais elle n'est pas terminée ! Que voulez-vous manger ?

— Ce que vous voudrez, du moment que c'est copieux. Je meurs de faim !

Lorsque Cam se gara devant le restaurant, Delilah fut surprise. L'endroit paraissait bien vétuste avec ses murs craquelés et son enseigne à moitié effacée.

— Ne vous fiez pas aux apparences, la rassura-t-il en l'observant du coin de l'œil. Ils font les meilleurs beignets aux crevettes de la côte. Simplement ils ne ressentent pas le besoin d'attirer le client par une façade plus clinquante ; leur réputation est déjà toute faite.

— Je vous crois sur parole. La nourriture y est-elle meilleure que chez vous ? ajouta-t-elle avec un sourire malicieux.

— Les beignets aux crevettes... oui, je dois le reconnaître. Mais je vous préviens, si vous le répétez, je nierai farouchement et dirai que vous êtes une menteuse !

Eclatant de rire, elle posa sa main droite sur son cœur et répondit :

— Je vous promets de ne pas le répéter.

— Cela dit, nous pouvons aller ailleurs, si vous le souhaitez. Pas dans un endroit trop chic non plus, car on ne nous laisserait pas entrer avec nos tenues décontractées.

— Ici, c'est parfait. Je suis sûre que je vais adorer. De toute façon, je ne possède plus de robe de soirée depuis que...

Elle s'interrompit et secoua la tête pour conjurer les souvenirs difficiles qui venaient subitement de s'imposer à elle.

— Cessez de penser à lui, lui conseilla Cam avec douceur.

— Comment savez-vous que je pense à lui ?

Au lieu de répondre, il se mit à caresser sa joue, avant de faire glisser son pouce sur ses lèvres.

— Parce que vous avez l'air triste et apeurée, murmura-t-il. Vous êtes bien trop ravissante et bien trop jeune pour porter tant de peine en vous, Delilah.

Emue, la jeune femme sentit son estomac se contracter violemment. Alors, une fraction de seconde, elle se prit à souhaiter que...

Mais Cam laissa retomber sa main et ils descendirent du pick-up pour se diriger vers le restaurant.

Contrairement à la façade, l'ambiance qui régnait à l'intérieur était des plus romantiques. Bien trop romantique d'ailleurs pour une femme qui n'avait pas l'intention de nouer une idylle avec l'homme qui l'accompagnait... Après avoir passé leur commande au comptoir, ils prirent place à une table d'angle, dans une demi-pénombre entretenue par la lumière tremblotante du photophore placé devant eux.

— Pourquoi voulez-vous devenir comptable ? lui demanda Cam, poursuivant la conversation commencée pendant le trajet.

A cet instant, la serveuse déposa une grande assiette de beignets tout chauds et dorés sur la table ainsi que des bières rousses.

— J'aime les chiffres, répondit-elle en remerciant la serveuse d'un sourire. Non, je les adore... Je les trouve... passionnants.

— « Passionnants », c'est également ce que Cat prétend. J'avoue que j'ai du mal à associer « passion » et « chiffres ».

Tout en mordant avec délice dans un beignet, Delilah se rappela sa conversation avec Cat. La sœur de Cam paraissait elle aussi une passionnée des chiffres, et affirmait que sa famille menaçait de la bâillonner chaque fois qu'elle voulait parler comptabilité.

— Il est important d'exercer une profession que l'on aime, décréta Delilah.

— Entièrement d'accord avec vous. Voilà pourquoi je possède un restaurant au lieu d'un cabinet de comptabilité.

— Qu'est-ce qui vous plaît dans votre métier ?

— Le contact avec la clientèle. Derrière un bar, on apprend bien des choses sur l'espèce humaine et sur la vie en général.

Ils commandèrent une nouvelle assiette de beignets et discutèrent encore longuement.

Delilah n'avait aucune idée de l'heure qu'il était quand ils quittèrent le restaurant. Elle aurait aimé que cette journée se prolongeât à l'infini... Elle redoutait le moment où chacun regagnerait sa chambre à coucher, et savait qu'elle resterait longtemps éveillée dans le noir, à maudire le sort qui lui avait fait croiser Avery avant Cam...

— Désirez-vous prendre un petit digestif avant d'aller au lit ? lui proposa Cam comme ils arrivaient au Perroquet Rouge.

— Le bar est fermé, non ?

— Je connais bien le propriétaire, dit-il d'un ton pince-sans-rire.

— Entendu, alors !

C'était une erreur, pensa-t-elle en le voyant servir deux cognacs. Mais ne les avait-elle pas accumulées toute la journée ? Alors une de plus ou de moins... Elle aurait au moins, pour l'avenir, le souvenir de cette merveilleuse journée à chérir...

Cam posa les verres sur le comptoir avant d'en faire le tour pour prendre un tabouret à côté d'elle. Il avait allumé une lampe à la lumière tamisée. La nuit était tranquille, seulement rythmée par le ronronnement d'un ventilateur.

Après avoir fait tournoyer l'alcool ambré dans son verre, Cam en avala une gorgée, le regard lointain.

— Le soir où vous avez pénétré chez moi, c'était mon anniversaire. J'étais seul, et las de la compagnie des femmes.

— Sont-elles donc si ennuyeuses ? le taquina-t-elle.

— Pas toujours, répondit-il en lui lançant un regard en coin amusé. Au départ, je vous ai prise pour une enfant. Une enfant en fugue...

Son regard glissa lentement le long de son corps.

— Seulement... vous n'êtes pas une enfant, ajouta-t-il sourdement.

— Non, murmura-t-elle, sentant soudain son cœur s'emballer.

— Il aurait pourtant mieux valu pour nous deux que vous en soyez une.

— Je sais, dit-elle d'un ton à peine audible, mais ce n'est pas le cas.

Posant sa paume sur le visage de la jeune femme, Cam enserra délicatement sa joue. Du pouce, il redessina alors le tracé de sa bouche veloutée, comme il l'avait déjà fait dans le pick-up, tout à l'heure, en évoquant la tristesse qu'il percevait dans ses yeux...

— Si vous continuez à me fixer de cette façon, je vais vous embrasser, murmura-t-il d'une voix rauque. Etes-vous certaine de vouloir prendre cette route-là avec moi ?

Oui, elle le voulait désespérément...

Hélas, elle ne le *pouvait* pas.

Elle n'était plus une ingénue, elle savait parfaitement que ce baiser pouvait les conduire dans son lit... Tout comme elle avait la certitude que partager ce lit serait une expérience merveilleuse...

Non ! Elle ne pouvait faire l'amour sur fond de mensonge !

Sans dire un mot, elle se leva et gravit prestement l'escalier.

11.

La pluie se mit à tomber au moment de la fermeture. Cam libéra Martha avant que l'averse ne se transforme en déluge, même s'il redoutait le face-à-face avec Delilah.

Mais redoutait-il réellement d'être seul avec elle ? Au fond de son cœur, il en mourait d'envie. Seulement, après ce qu'il s'était passé entre eux, la dernière fois qu'ils s'étaient retrouvés en tête à tête, il n'en était plus très sûr. Il avait été le roi des imbéciles de croire qu'ils pourraient passer une journée seuls tous les deux sans qu'il ait envie de lui faire l'amour... Si elle ne l'avait pas quitté brusquement, ce soir-là, il l'aurait entraînée à coup sûr dans son lit. Ce qui aurait été une *très* mauvaise idée !

Il était urgent qu'il l'aide à trouver un studio. Toutefois, sans fiche de paie et vu la situation immobilière d'Aransas City, la démarche ne serait pas aisée... Bon sang ! Il ne s'était pas rendu compte à quel point il était difficile de vivre sous le même toit qu'une femme inaccessible.

Encore une fois, il revit Delilah enveloppée dans son drap de bain. Cette image l'obsédait. Elle était si belle, ce matin-là, si tentante, si proche... Il aurait suffi d'une chiquenaude pour qu'elle se retrouve entièrement nue devant lui. Et il aurait été perdu.

Et encore, ce n'était rien comparé à la journée qu'ils avaient passée ensemble à l'aquarium. Il avait constaté qu'il ne ressentait pas uniquement une attirance physique envers Delilah... mais une attirance tout court ! Il avait éprouvé un réel plaisir à lui faire découvrir cet endroit qu'il appréciait tant. Un endroit où il n'avait jamais emmené une femme. Un endroit qu'il avait toujours réservé à sa famille. Du moins jusque-là. Jusqu'à Delilah...

Cette excursion l'avait renforcé dans sa conviction que la jeune femme était une personne intelligente et charmante. D'ailleurs, il était tellement sous le charme qu'il avait bien failli l'embrasser...

La situation devenait invivable...

— Je vais à la banque déposer la recette, déclara-t-il, heureux de trouver une excuse pour échapper au huis clos qui l'attendait.

— Je vous accompagne ! s'écria Delilah.

Et, avant qu'il n'ait eu le temps de répondre, elle se précipita hors de la pièce pour revenir une seconde plus tard vêtue d'un blouson.

— La banque est à deux pas d'ici, marmonna-t-il. Je n'ai pas franchement besoin d'une escorte.

— Je sais, mais j'ai envie de changer d'air. Allez, Cam ! Qu'est-ce que cela peut bien vous faire de m'emmener avec vous ?

Il céda.

Quelques minutes plus tard, bien à l'abri dans le pick-up, bercé par la pluie qui tambourinait doucement sur le pare-brise et enivré par le parfum sensuel de Delilah, il regretta sa faiblesse. Serrant les dents, il garda le silence.

Sans paraître se rendre compte du supplice qu'il endurait, Delilah alluma la radio. Sur les ondes, Chris Isaak chantait les déboires d'un homme solitaire. Une complainte douce et triste...

— Cette chanson me fait penser à vous, lui dit-elle soudain.

Il lui lança un regard perplexe.

— Pourquoi ? Je ne suis pas un solitaire.

— Vous avez l'âme d'un solitaire. Même si vous êtes toujours entouré de monde.

— Merci, docteur Freud, ironisa-t-il.

— Vous pouvez vous moquer, vous savez bien que j'ai vu juste. Vous maintenez sciemment une distance entre les autres et vous. La preuve : vous n'avez pas de téléphone portable.

— Cela n'a rien à voir avec la solitude, se défendit-il. Je n'ai pas de portable afin de ne pas être harcelé en permanence par Martha ou ma famille. Quand je quitte le restaurant, je veux réellement oublier mon travail et avoir la paix. Un portable m'en empêcherait.

— Bonne excuse pour n'en faire qu'à votre tête. Pour vous replier sur vous-même...

Devant son silence, elle hésita un instant à poursuivre.

— Vous vous comportez de la même façon avec les femmes. Une force irrépressible vous contraint à ne pas vous impliquer entièrement. A rester sur vos gardes.

— Et comment le savez-vous ? lui lança-t-il sèchement.

— N'est-ce pas vous qui m'avez avoué que les femmes avec qui vous sortiez vous ennuyaient prodigieusement ?

— Et à part ça ?

— Votre réputation... Il paraît que vous ne sortez jamais plus de deux mois avec la même partenaire. C'est peu pour apprendre à connaître quelqu'un.

Cam se mit à rire.

— Je ne suis pas de cet avis.

— Je ne parle pas de l'aspect physique. Mais deux mois, c'est peu pour instaurer une véritable intimité entre deux êtres.

— Il me semblait que l'intimité passait avant tout par la chambre à coucher.

— Pas toujours...

Bon sang, il refusait de se laisser entraîner sur ce terrain-là ! Il s'y était toujours senti mal à l'aise.

— Pour quelle raison disséquez-vous ma vie personnelle ? demanda-t-il soudain comme il atteignait la banque.

— Je... Vous avez raison, bredouilla-t-elle. Je n'aurais pas dû. Je regrette...

Oh Seigneur ! Maintenant il avait l'impression d'être un crétin, pensa-t-il en déposant son sac dans le guichet prévu à cet effet.

— Non, reconnut-il alors, vous avez raison. Je n'aime pas que les femmes m'approchent de trop près.

— A cause de votre ex-fiancée ?

Alors qu'il allait recevoir le ticket du dépôt automatique, il tourna la tête vers elle, étonné.

— Qui vous a parlé d'elle ?

— Martha... Oh ! Elle ne m'a pas dit grand-chose. Juste que votre fiancée vous avait brisé le cœur.

Il poussa un soupir agacé et remonta sa vitre.

— Elle ne m'a pas brisé le cœur, protesta-t-il.

Janine lui avait précisément reproché de ne pas en avoir. Une façon comme une autre de justifier sa conduite.

— Que s'est-il passé ? insista Delilah.

Cam redémarra et opta pour la version courte.

— Je l'ai surprise au lit avec un ami. Fin de l'histoire.

— Et votre amitié ?

— Elle aussi a pris fin, précisa-t-il dans un sourire froid.

Delilah garda le silence pendant un bon moment avant de reprendre :

— Elle vous a trahi et nous n'avez pas pu lui pardonner.

— Il ne s'agit pas de pardon. Je ne pense pas qu'un mariage soit promis à un grand avenir si la future épouse trompe son partenaire avant la cérémonie.

— Et si vous aviez été mariés ? Lui auriez-vous pardonné ?

— Je l'ignore, puisque je ne l'ai pas épousée. Et je m'en félicite encore aujourd'hui. Elle m'a menti et trompé... C'est beaucoup pour un seul homme, non ?

— Alors vous avez renoncé aux femmes...

Ils arrivaient à un stop. Tournant la tête vers elle, il lui décocha un long regard dubitatif.

— Je ne sais pas exactement ce que l'on vous a raconté, mais si vous croyez que je suis resté célibataire depuis, vous vous trompez.

— Je n'ai pas dit que vous aviez fait une croix sur les relations sexuelles, mais sur les relations *sérieuses*, nuance ! Quel que soit le nombre de femmes avec qui vous avez eu une liaison, vous ne vous êtes ni fiancé, ni marié depuis, il me semble.

Il serra les mâchoires, peu désireux d'admettre qu'elle avait raison. Cette discussion avec Delilah sur sa vie sexuelle et sentimentale commençait à le troubler considérablement.

— Et du haut de vos vingt-cinq ans, vous estimez que vous pouvez juger mes motivations ?

— Il est vrai que je suis plus jeune que vous. J'ai pourtant davantage d'expérience que vous ne pouvez le croire. Ma mère et moi ne possédions pas grand-chose, mais ce que nous avions, nous l'avions gagné à la sueur de notre front. Je travaille depuis l'âge de dix ans et je me débrouille toute seule depuis que j'en ai seize. Vous grandissez plus vite quand vous n'avez plus de réelle famille. Les foyers d'accueil vous donnent rapidement des envies d'indépendance, croyez-moi.

— Peut-être... Il n'empêche que vous êtes encore bien jeune.

— Assez âgée toutefois pour avoir eu le temps de commettre de graves erreurs dans ma vie, soupira-t-elle.

Ils venaient d'arriver au Perroquet Rouge. A la radio, la musique avait laissé place à de la publicité. Delilah changea de station. Un vieux titre de Garth Brooks retentit bientôt dans le pick-up. Une chanson sur la pluie et l'amour... Fantastique ! Le crooner évoquait à présent les robes qui tombent sensuellement à terre... et l'amour sous la pluie...

Cam se mit soudain à respirer avec difficulté. Il avait eu tort de s'être imposé une vie monacale depuis quelque temps car il avait désormais du mal à contrôler ses pulsions.

— Tout le monde fait des erreurs, reprit-il. Dieu sait si moi-même j'en ai commis... Mais je vous rassure, je n'ai pas passé ces douze dernières années à panser mon cœur blessé. Pas plus que je ne crois que toutes les femmes soient des menteuses ou des manipulatrices.

— Vous avez de la chance, dit-elle tandis qu'elle détachait sa ceinture de sécurité. Pendant longtemps, j'ai cru que tout le monde était comme *lui*. Enfin, tous les hommes...

— Mais plus maintenant ?

— Non.

A cet instant, elle effleura son bras. Un simple frôlement qui lui fit l'effet d'un choc électrique.

— Quelque chose m'a fait changer d'avis. Ou plutôt quelqu'un, poursuivit-elle.

Cam tourna les yeux vers elle et leurs regards s'attachèrent l'un à l'autre...

— C'est vous qui m'avez fait changer d'avis, Cam, précisa-t-elle.

Sa voix était rauque. Elle sonnait de la même façon que lors de leur première rencontre, dans la réserve. Pire : elle évoquait les draps froissés et la sueur sensuelle de l'amour. Il détourna les yeux... Il n'avait pas pensé plus de cinq secondes à une autre femme depuis que Delilah était entrée dans sa vie. Elle était différente des femmes qu'il avait connues durant ces douze dernières années. Ces rencontres de passage n'avaient pas été inoubliables. Plaisantes, bien sûr, mais pas inoubliables. Delilah était tout le contraire. Elle le troublait profondément, et plus il apprenait à la connaître, plus ce trouble s'aggravait...

Avec un effort de volonté, ils pourraient faire comme si toute cette conversation n'avait jamais eu lieu. Mais comment avait-il pu s'abandonner au point d'évoquer sa vie sexuelle avec une femme qu'il s'était précisément juré de ne pas séduire ?

Il n'avait pas encore tout à fait perdu la tête, mais

Delilah n'était pas loin de le rendre complètement fou… Sur une impulsion, il la saisit par les épaules et l'attira à lui. Sa bouche était à quelques millimètres de la sienne… Humide et soyeuse comme une rose du matin, si tentante qu'il se voyait déjà en train de la butiner puis de l'embrasser jusqu'à en perdre le souffle. Ensuite, il lui ferait longuement l'amour. Toute la nuit. Et toutes les nuits suivantes… Des frissons lui picotaient déjà le creux des reins.

— C'est une erreur, décréta-t-il la gorge sèche, dans un ultime effort.

— Je sais.

— Une fois que je t'aurai embrassée, nous ne pourrons pas revenir en arrière…

— Je sais, répéta-t-elle le souffle court. Alors lâche-moi avant qu'il ne soit trop tard.

— Il est déjà trop tard, lui dit-il, ému par leur tutoiement.

Mais il la relâcha.

Coupant le moteur du pick-up, il descendit rapidement puis attendit qu'elle le rejoigne. Aucun d'eux ne prononça un mot.

Cam ouvrit la porte du Perroquet Rouge, la laissa entrer, puis referma derrière elle, encore sous le choc de ses émotions.

— Cam…

La sonnerie du téléphone interrompit brutalement la jeune femme.

Cam fut tenté de ne pas répondre, mais la voix de sa mère s'éleva bientôt sur le répondeur.

— Cameron, si tu es là, réponds, mon chéri.

Sa voix était étrange, presque tremblante, ce qui ne lui ressemblait pas.

Cam se précipita sur le combiné.

— Je suis là ! Que se passe-t-il, maman ?

— Oh, mon Dieu ! Comme je suis heureuse de t'entendre, mon chéri, sanglota sa mère à l'autre bout du fil. Je crois que je suis en train de faire un malaise cardiaque.

12.

Delilah vit le sang refluer des joues de Cam. Visiblement, sa mère lui annonçait de mauvaises nouvelles. La phrase suivante confirma ses impressions.

— As-tu appelé le S.A.M.U. ? s'enquit-il.

Il attendit sa réponse et reprit d'une voix plus sereine :

— Cela ne m'étonne pas. Bon, maman, calme-toi et appelle les voisins de ton portable pour leur demander de te conduire à l'hôpital. Vas-y, je reste en ligne...

Pendant qu'il attendait, il expliqua rapidement la situation à Delilah :

— Ma mère se sent mal, elle pense avoir un malaise cardiaque.

— Oh, Cam, je suis désolée...

— Les secours n'arriveront pas avant une heure.

— Pourquoi ne te rends-tu pas directement chez elle ?

— C'est ce que je vais peut-être devoir faire, mais elle habite à vingt minutes d'ici et, qui plus est, dans la direction opposée de l'hôpital. Ce serait plus rapide si des voisins...

Il s'interrompit et se remit à parler dans le combiné :

— Oui, je suis là. Bien... Je te rejoins là-bas et j'appelle les autres.

Pour la première fois depuis que Cam avait décroché le téléphone, Delilah le vit sourire.

— Mais tu sais bien qu'ils seront furieux si je ne les préviens pas. Tout va aller, maman, ne t'en fais pas. Je pense à toi et j'arrive sans tarder.

Après avoir reposé le combiné, il resta quelques secondes immobile, les yeux dans le vide.

— Cam, murmura-t-elle en posant sa main sur son bras. En quoi puis-je t'être utile ?

Il la regarda sans la voir.

— Mon père...

Mais il ne put aller plus loin. Lui qui cherchait toujours à montrer qu'il contrôlait la situation, lui d'ordinaire si fort avait soudain l'air perdu.

— Que voulais-tu dire à propos de ton père ? insista-t-elle pourtant d'une voix douce.

— Il... il est mort d'une crise cardiaque.

Il enfouit alors son visage dans ses mains et, dans un ultime effort, se ressaisit.

— Il faut que je prévienne mes sœurs et mon frère, décréta-t-il.

Elle attendit en silence qu'il avise le reste de la famille, ne sachant pas très bien si elle devait rester ou le laisser seul.

— Bon, j'y vais. Je ne sais pas quand je reviendrai, lui dit-il après s'être entretenu avec Cat.

— Je viens avec toi. Tu n'es pas en état de prendre le volant, je vais conduire.

— Allons, je peux parfaitement conduire, rétorqua-t-il. Je suis bouleversé, pas invalide.

Après tout, le fait de conduire lui procurerait sûrement la sensation de reprendre la situation en main, pensa-t-elle.

— Très bien. Veux-tu cependant que je t'accompagne ?

Il hésita un instant.

— Ne te sens pas obligée...

— Je ne te fais pas cette proposition par politesse.

Par expérience, elle savait combien il était difficile de se retrouver seul dans un cas semblable. Quand il serait à l'hôpital, avec ses sœurs et son frère, alors elle serait rassurée. Mais d'ici là, elle ne voulait pas le quitter d'une semelle.

— Merci, lui dit-il.

Ils se mirent en route et effectuèrent les premiers kilomètres en silence. La pluie avait cessé.

— Ma mère a toujours été en bonne santé, déclara Cam. Je n'arrive pas à croire qu'elle ait des problèmes cardiaques. Elle n'a jamais eu de symptômes auparavant.

— C'est peut-être une fausse alerte.

— J'aimerais le croire, soupira-t-il. L'infarctus de mon père est survenu si brusquement, sans le moindre signe avant-coureur, mais il est vrai qu'il allait rarement chez le médecin. Il était seul en mer lorsque l'accident s'est produit. Comme il ne revenait pas, ma mère a appelé le garde-côte. Mais il était déjà mort quand celui-ci est arrivé sur place.

— Ta mère va être secourue à temps, lui assura-t-elle alors avec conviction. N'était-ce pas bon signe qu'elle puisse s'exprimer au téléphone ? Cela ne doit pas être si sérieux qu'elle le croit.

— Peut-être. Je ne sais pas... Elle affirmait que sa

poitrine la brûlait et redoutait d'être en train de faire une crise cardiaque.

Crispé, il resserra ses mains sur le volant et ajouta :

— C'est la première fois que je regrette de ne pas avoir de portable. Je pourrais appeler Jay pour qu'il me donne son avis sur la question.

— Sera-t-il à l'hôpital ?

— Oui, j'ai prié Gail de venir avec lui. Mark se chargera des enfants, afin que Cat puisse également se rendre à l'hôpital.

— Ta famille est très unie. Tu as de la chance.

— Cela présente aussi des inconvénients, répondit-il en riant tristement. Ils ont souvent tendance à se mêler de ma vie privée plus qu'il ne faudrait.

— J'aurais tant aimé avoir un frère ou une sœur. Pendant longtemps, j'ai harcelé ma mère à ce sujet, mais elle prétendait qu'un seul enfant lui suffisait. Cela aurait d'ailleurs pu difficilement arriver dans la mesure où elle vivait seule et sortait très peu. Je ne lui ai jamais connu de relation sérieuse.

— Et ton père ?

— Oh, lui..., dit-elle dans un petit rire méprisant. Il a abandonné ma mère en découvrant qu'elle était enceinte. Elle avait seize ans... Ses parents l'ont aussitôt chassée. C'est un miracle qu'elle ait pu m'élever. Mais elle n'aimait pas évoquer cette période.

— Navré, dit-il en lui lançant un coup d'œil, je ne voulais pas évoquer des sujets tristes.

— Il n'y a pas de mal. Tout cela s'est passé avant ma naissance. Moi, j'avais ma mère, et cela me suffisait.

— De quoi... Non, rien.

— Elle est morte d'un cancer. C'est bien ce que tu allais me demander, n'est-ce pas ?

Un si petit mot pour un si grand malheur...

Malgré les années, cette épreuve la faisait toujours souffrir, et la ferait probablement toujours souffrir. Sa mère lui manquait, même si elle avait appris à vivre sans elle. Mais elle resterait toute sa vie avec le poids de cette disparition injuste et prématurée, elle le savait.

— Oui. Désolé..., s'excusa Cam.

— Ce n'est rien.

— Merci de m'avoir accompagné.

Il chercha sa main et la serra longuement dans la sienne.

— Je t'en prie, dit-elle la gorge serrée. Tout va s'arranger, tu vas voir.

— Je l'espère.

Et il garda sa main dans la sienne jusqu'à l'hôpital.

Ils furent les premiers sur place. Sa mère arriva juste après eux. Durant cette brève attente, Cam crut qu'il allait tout casser...

Meredith Randolph était une belle femme blonde qui ne faisait pas son âge. Elle éclata en sanglots quand elle aperçut son fils. Elle était visiblement très attachée à son aîné, comme il était tout aussi incontestable que Cam l'adorait.

Ce dernier avait recouvré tout son calme et jouait à présent son rôle habituel de protecteur familial, celui sur qui tout le monde se reposait. Les autres avaient-ils conscience que Cam ne recevait pas une sollicitude réciproque de leur part ? pensa brusquement Delilah en se remémorant la scène que lui avait faite Gabe.

Mais il est vrai qu'avec son caractère Cam était plutôt du genre à refuser toute forme d'aide et de conseil...

Au bout d'un temps qui leur parut interminable, une infirmière conduisit Meredith en salle d'examen.

— Je vais avec elle, décréta Cam. Peux-tu dire à Jay de nous y rejoindre dès qu'il arrive ?

— Entendu.

Elle aurait voulu lui dire quelque parole réconfortante, mais rien ne lui vint à l'esprit, à part des banalités. Quand elle le regarda s'éloigner, elle fit de son mieux pour ne pas se laisser submerger par le souvenir d'un autre hôpital... D'une autre mère...

Elle vit arriver le reste de la famille peu de temps après. Jay se dirigea vers la réception tandis que Gail et Cat l'aperçurent tout de suite, dans la salle d'attente vitrée.

— Delilah, es-tu venue avec Cam ? demanda Gail. Oui, bien sûr ! Que je suis idiote !

— Où sont-ils ? s'enquit Cat. Sais-tu ce qu'il s'est passé ? A-t-elle été examinée ?

— Une infirmière a emmené votre mère il y a quelques minutes en salle d'examen. Cam est à ses côtés et il souhaiterait que Jay les rejoigne.

Gail se retourna comme son mari arrivait.

— Cam et maman sont dans la salle d'examen, lui dit-elle.

— Je sais, fit Jay. Attendez-moi ici pendant que...

— Pas question ! l'interrompit Cat. Nous aussi, nous voulons voir notre mère.

— Bien... Allons-y.

Delilah eut à peine le temps de se rasseoir que Gabe débarquait à son tour aux urgences. Elle regretta vivement qu'aucune des sœurs ne soit là pour lui fournir des informations. Nul doute qu'elle était la dernière personne qu'il souhaitait voir ici.

Comme il n'avait pas encore remarqué sa présence, elle en profita pour l'observer... C'était un homme très séduisant, elle devait l'admettre. Brun comme Cat et aussi imposant que Cam, il possédait « un physique à se damner », pour reprendre l'expression favorite de sa mère. Il devait sûrement être charmant à ses heures. Avec les privilégiés qu'il appréciait...

Soudain, il la vit et son visage changea immédiatement d'expression. D'inquiet, il parut brusquement furieux. Il la rejoignit en quelques pas et se planta devant elle, le regard flamboyant de colère.

— J'aurais dû m'attendre à vous trouver ici, s'écria-t-il. Où sont Cam et ma mère ?

Elle se contenta de désigner du doigt la salle d'examen.

— Que faites-vous ici ? ne put-il s'empêcher d'ajouter. Oh, et après tout, je m'en fiche !

Puis il tourna les talons et se dirigea à grands pas vers la double porte qu'elle lui avait indiquée.

— J'ai accompagné Cam parce que je me faisais du souci pour lui, tenta-t-elle néanmoins de lui expliquer.

Pourquoi tenait-elle à se justifier aux yeux de Gabe, elle l'ignorait. Il s'était fait une opinion sur elle dès leur première rencontre et elle savait qu'il n'en démordrait plus.

Se retournant vivement, il lui jeta un regard cynique...

— Du souci ? Je ne suis pas assez crédule pour croire à vos sornettes !

A cet instant, Gail et Cat ressortirent de la salle d'examen et Gabe se précipita vers elles. En les observant tous ensemble, Delilah se sentit soudain gênée. Cam était auprès de sa mère, il n'avait plus besoin d'elle. Quant aux autres Randolph, ils se moquaient éperdument de son soutien. Elle s'apprêtait à partir lorsque Cat s'approcha d'elle. Contrairement à Gabe, les sœurs de Cam semblaient l'apprécier.

— Comment va votre mère ? demanda immédiatement Delilah. Ont-ils établi un premier diagnostic ?

— Non, mais elle se sent déjà mieux. Elle nous a d'ailleurs tous renvoyés, à part Cam.

— Tu sais bien qu'il est le seul à pouvoir la rassurer, renchérit Gail qui les avait rejointes. En outre, si elle préfère se passer de notre présence, nous devons respecter sa volonté.

— Je sais, soupira Cat. Elle prétend toujours qu'elle ne fait pas de différence entre ses enfants, mais Cam reste son favori... Surtout en cas de crise.

Gail se frotta nerveusement les mains.

— Jay connaît le médecin qui s'occupe d'elle. Selon lui, elle est entre de bonnes mains.

— Si c'est le cœur, il faut qu'elle soit examinée par un cardiologue, intervint Gabe qui, l'air renfrogné, s'était rapproché du petit groupe.

— Ils ne connaissent pas encore l'origine du malaise, observa Cat. Il se peut que ce soit bénin. Allons, Gabe, ne pense pas à ça...

En prononçant ces mots, elle toucha gentiment le bras de son frère qui se dégagea d'un geste vif.

— Je n'y pense pas !

— Bien sûr que si ! rétorqua Cat. Nous y pensons tous, d'ailleurs... Comment s'empêcher de faire le rapprochement avec papa ?

— J'allais bien jusqu'à ce que tu en parles ! s'écria Gabe. Ne peux-tu donc jamais te taire ?

Cat paraissait aussi ébranlée et furieuse que son frère. Elle s'apprêtait à répliquer lorsque Gail calma le jeu.

— Nous sommes tous bouleversés et il ne sert à rien de se disputer en plus.

Gabe haussa les épaules sans rien ajouter et les deux sœurs allèrent s'asseoir dans la salle d'attente. Delilah crut alors bon de réconforter Gabe. Il avait perdu toute son arrogance et semblait si désemparé, qu'elle osa une approche.

— Il est toujours difficile d'attendre lorsque l'on est inquiet, lui dit-elle. Je sais ce que c'est et...

— Merci, la coupa-t-il en lui lançant un regard en biais, mais épargnez-moi votre sympathie. Si vous voulez me rendre un grand service, laissez-moi tranquille. Et pendant que vous y êtes, laissez aussi Cam tranquille.

— Pourquoi me détestez-vous à ce point, Gabe ?

— Epargnez-moi aussi la scène de la reine outragée, rétorqua-t-il. Je ne vous déteste pas et je me moquerais éperdument de ce que vous faites si vous n'étiez pas en train de jouer avec les sentiments de mon frère.

— Je ne joue pas avec ses sentiments. Pensez-vous sincèrement que je chercherais à tirer profit de lui, après ce qu'il a fait pour moi ?

Un sourire mauvais éclaira le visage de Gabe.

— Oh oui ! Sans l'ombre d'une hésitation d'ailleurs.

— Cam n'a pas besoin de vous pour se défendre. Il est assez intelligent pour prendre soin de lui.

— En général, oui. Mais les femmes savent piéger même les plus intelligents d'entre nous.

— Je ne cherche pas à faire souffrir votre frère. Ni à le piéger comme vous dites.

— Evidemment, c'est ce qu'elles prétendent toutes ! Seulement, quand elles partent, elles vous laissent le cœur brisé.

— Est-ce ce qu'il vous est arrivé, Gabe ? demanda alors doucement Delilah dans un éclair de lucidité.

L'inquiétude que Gabe concevait pour son frère tenait à un drame sûrement plus personnel que l'histoire d'amour déçue de Cam. Quel traumatisme avait rendu Gabe si cynique ? Et si méfiant envers les femmes ?

— C'est de Cam qu'il s'agit, pas de moi.

— En êtes-vous bien certain ?

— Gabe, qu'est-ce qui te prend ? Pourquoi es-tu si agressif envers Delilah ? intervint Gail en se rapprochant d'eux. Ne prêtez pas attention à ses propos, ajouta-t-elle à l'attention de Delilah. Il est sous le coup de l'émotion. Je suis pour ma part heureuse que Cam n'ait pas effectué tout seul le trajet pour venir jusqu'ici.

Jurant entre ses dents, Gabe s'éloigna après un dernier regard qui n'avait rien d'amical.

— Je suis désolée, lui dit Gail. Venez vous asseoir avec moi. Cat est allée téléphoner à Mark. Je ne comprends pas l'attitude de Gabe envers vous, et je la déplore.

— Il pense que je suis une croqueuse d'hommes qui cherche à attirer votre frère dans mes filets.

— Est-ce le cas ?

Delilah avait bien conscience de faire figure d'opportuniste aux yeux du clan Randolph. Cependant la dernière chose qu'elle souhaitait, c'était bien de faire souffrir Cam.

— Cherchez-vous à le séduire ? précisa alors Gail.

— Non...

Si elle avait été libre, peut-être que... Allons ! A quoi bon fantasmer puisque ce n'était pas le cas ?

— Nous ne couchons pas ensemble, si c'est ce qui vous fait peur.

— Oh ! Je suis désolée pour mon indiscrétion, mais Cam est mon frère et je l'aime énormément.

— Rassurez-vous. Il ne nourrit aucun intérêt pour moi.

Ce qui était loin d'être exact... Elle savait que, tout comme elle, il refusait d'admettre qu'elle lui plaisait, et luttait contre son attirance. Ce soir, ils avaient été près de céder à la tentation... Une part d'elle-même souhaitait fortement qu'ils aillent plus loin. S'il l'avait embrassée, elle ne l'aurait pas repoussé. Et elle était convaincue que ce baiser les aurait conduits à de plus intimes étreintes.

Soudain, Gail se mit à rire.

— Il me semble que vous faites erreur. J'en veux pour preuve le comportement de Gabe qui sent très bien ces choses-là d'habitude.

— Eh bien pour une fois, votre frère se trompe. Il n'y a rien entre Cam et moi.

— Et quand bien même, ce ne serait pas un crime, glissa Gail dans un beau sourire.

Cette dernière aurait-elle été aussi tolérante si elle avait connu ses terribles secrets ? Delilah en doutait.

— Cam est un adulte, poursuivit Gail en lui touchant affectueusement le bras. Je me fie entièrement à son jugement. S'il vous fait confiance, je n'ai aucune raison de ne pas l'imiter.

— Gabe n'est pas de cet avis.

A cet instant, Gail jeta un regard contrarié dans la

direction de son frère qui se tenait au bout du couloir, près de la fenêtre, et répondit :

— Je sais... Mais comme je vous l'ai dit, son attitude m'échappe.

Soudain elle se leva, se frotta nerveusement la nuque, avant de lancer un regard inquiet vers la salle d'examen.

— Mais qu'est-ce qu'il se passe ? Je me demande bien pourquoi personne ne vient nous donner de nouvelles... Vous n'auriez pas envie d'un café ?

— Je m'en occupe, proposa Delilah en se levant à son tour, heureuse de pouvoir être utile. J'en apporte un pour tout le monde.

Renseignements pris auprès de la réception, elle descendit au rez-de-chaussée où se trouvaient la cafétéria et la machine à café. Ayant rempli un premier gobelet, elle se mit en quête d'un plateau.

Ce fut alors qu'elle l'aperçut... Chevelure brune parsemée de fils blancs, imperméable mastic...

Poussant un cri, elle laissa échapper le gobelet qu'elle tenait à la main... Comment Avery l'avait-il retrouvée ?

A ce cri, l'homme se retourna et demanda d'un ton aimable :

— Tout va bien, mademoiselle ?

Elle le fixait toujours avec de grands yeux, incapable d'articuler le moindre son... Ce n'était pas Avery. Et ce fut tout ce qu'elle fut capable de penser. Encore tétanisée, elle tenta de reprendre sa respiration... Ce n'était pas lui, Dieu soit loué, ce n'était pas lui, ne cessait-elle de se répéter.

— Mademoiselle, tout va bien ? redemanda l'inconnu, visiblement inquiet cette fois.

Il lui tendit alors des serviettes en papier pour essuyer le café qui s'était répandu sur son jean et ses tennis.

— Oui... Désolée, je suis maladroite, mais je...

Elle éprouvait toujours de grandes difficultés à parler. Elle savait qu'elle avait tout l'air d'une idiote... Ses mains tremblaient encore. L'homme parut sceptique quand elle lui assura de nouveau que tout allait bien. Peu désireux toutefois de l'importuner, il s'éloigna sans chercher à comprendre.

Delilah se laissa alors tomber sur le siège le plus proche.

Enfouissant son visage dans ses mains, elle tâcha de recouvrer le contrôle d'elle-même et de discipliner les battements fous de son cœur.

Elle devait partir...

Fuir Avery pour qu'il ne la retrouve jamais... Trouver un endroit où elle serait en sécurité. Aller au bout du monde s'il le fallait.

Mais partir.

13.

Jetant les clés sur la table, Cam balaya le salon du regard... Dans la lueur bleutée que projetait la télévision, il distingua soudain la silhouette de Delilah recroquevillée sur le sofa. Elle s'était frileusement enveloppée dans une couverture et ne bougeait pas.

— Peux-tu m'expliquer ce qu'il s'est passé ? interrogea-t-il sans préambule. Selon Gail, tu es allée chercher un café et tu n'es pas revenue.

— Je... je suis navrée. Il fallait impérativement que je parte.

Déconcerté, Cam la considéra un instant... Ne connaissant personne à Aransas City, qu'est-ce qui avait bien pu provoquer ce départ *impératif* ? Et il lui semblait bien curieux qu'elle ne lui demande pas des nouvelles de sa mère. S'asseyant près d'elle sur le canapé, il lui fit néanmoins le résumé des dernières heures.

— Ce n'était pas une crise cardiaque, mais une petite indigestion. Ma mère a pu rentrer chez elle. Elle était confuse de s'être affolée pour rien et d'avoir inquiété tout le monde. Selon Jay, ce genre de malaise arrive fréquemment chez les personnes d'un certain âge.

Delilah resta d'abord silencieuse.

— Je suis heureuse que ta mère aille bien.

Mais sa voix manquait de chaleur. On aurait dit qu'elle avait subi un choc.

— Gabe a-t-il tenu des propos qui t'ont bouleversée ? s'enquit-il alors. Gail m'a rapporté sa conduite. Est-ce pour cette raison que tu es partie précipitamment ?

— Non, Gabe n'a rien à voir avec mon départ hâtif, dit-elle dans un rire sec dépourvu du moindre humour.

Tous ces mystères commençaient sérieusement à agacer Cam.

— Tu es donc partie sans prévenir et sans raison ! Ne t'est-il pas venu à l'esprit que je... que Gail et Cat pouvaient s'inquiéter de ta disparition subite ?

— J'avais une raison, répliqua-t-elle en resserrant la couverture autour de son corps. J'étais effrayée.

Sur le visage de Cam, l'inquiétude fit soudain place à l'agacement. Il voyait bien que Delilah luttait contre les larmes, et il détestait voir une femme pleurer. La prenant par les épaules, il l'attira contre lui et se mit à lui frictionner doucement les bras. Sa peau était glacée...

— Dis-moi ce qui t'a effrayée à ce point. Raconte-moi ce qu'il s'est passé.

Se raidissant, Delilah déclara alors d'une voix blanche :

— J'ai cru voir Avery.

Avery... Elle venait enfin de prononcer son nom. Mais Cam n'était pas dupe : il ne s'agissait pas d'une marque de confiance de sa part. Elle était seulement trop bouleversée pour se rendre compte que ce nom lui avait échappé.

— L'homme que tu fuis ?

Elle hocha la tête et poursuivit :

— Ce n'était pas lui, mais durant quelques secondes,

j'ai bien cru que si. Je n'ai pas supporté, j'avais peur, alors je me suis enfuie...

— Je crois que tu lui donnes plus de pouvoir qu'il n'en a. D'ailleurs, même si cela avait été lui, qu'aurait-il pu te faire, dans un établissement public, devant témoins ? Crois-tu que personne n'aurait levé le petit doigt pour te secourir ?

— Tu ne le connais pas, il est capable de tout, chuchota-t-elle d'une voix apeurée, comme s'il était dans la pièce d'à côté.

— Delilah, regarde-moi... Tu es en sécurité ici. Si cet homme te terrorise à ce point, nous allons porter plainte contre lui.

— Redis-moi cela, murmura-t-elle les yeux enchaînés aux siens.

— Nous allons porter plainte contre lui.

— Non, avant...

— Tu es en sécurité, ici, Delilah, je te le jure.

Dans ses grandes prunelles sombres qui le fixaient intensément, il vit peu à peu la peur se dissiper pour céder la place à... Etait-ce du désir ? Non, il devait se tromper. C'était ses propres sentiments qu'il projetait dans les yeux de la jeune femme.

Tout à l'heure, sur le trajet du retour, rassuré sur le sort de sa mère, il avait repensé à la grosse erreur qu'il avait manqué commettre, au retour de la banque... S'il l'avait embrassée, il lui aurait fatalement fait l'amour. Et ensuite... Ensuite, il aurait été incapable de l'oublier alors que, depuis sa rupture avec Janine, il avait pour principe de ne pas s'attacher à ses partenaires. Seulement voilà : Delilah n'avait rien d'une partenaire d'un soir ou d'un mois. Delilah était une femme... différente. Et il n'avait pas besoin de l'étreindre intimement pour s'en rendre compte. Le pire, c'était qu'il ne savait pas combien de temps encore il serait en mesure de lui résister.

— Si tu continues à me regarder de cette façon..., s'entendit-il murmurer.

Sans prévenir, elle prit son visage entre ses mains et l'embrassa.

A cet instant, il comprit qu'il était perdu.

Il lui rendit son baiser...

Ses lèvres étaient d'une douceur incroyable, si tentantes... Elles avaient un goût de miel. Allons, il ne faisait qu'y goûter, se dit-il dans un sursaut de lucidité. Ce n'était qu'un petit baiser de réconfort, pour chasser toutes les émotions qu'ils avaient tous les deux connues ces dernières heures. Il pourrait résister à la tentation d'aller plus loin. Mais lorsque leurs langues se mirent à danser langoureusement en cadence, il comprit qu'il pourrait difficilement faire marche arrière...

D'un geste habile, Delilah fit glisser la couverture sur le sol et, nouant ses bras autour du cou de Cam, pressa ardemment sa poitrine contre son torse.

La jeune femme était uniquement vêtue du T-shirt dans lequel elle dormait... D'un seul coup, l'esprit de Cam s'embruma et, incapable de concevoir la moindre pensée, il s'allongea sur le canapé, l'entraînant dans son mouvement...

Elle était à présent couchée sur lui, chaque partie de son corps souple épousant le sien... Avec la grâce d'un félin qui s'étire, elle se redressa, et il eut tout loisir de l'admirer...

Un vif désir l'étreignit alors.

Que portait-elle sous son T-shirt ? Une culotte en dentelle rouge ou rose ? Il connaissait ses sous-vêtements puisqu'ils les avaient achetés ensemble. Et puis, il les avait vus assez souvent suspendus dans la salle de bains pour les connaître dans les moindres détails. Il avait suffisamment fantasmé dessus...

Cam posa les mains sur les hanches de Delilah. Un grognement lui échappa... « Assez ! » pensa-t-il. Il devait mettre un terme à cette scène sinon, dans trente secondes, il allait lui retirer sa culotte pour se noyer en elle... Lui faire l'amour comme il en rêvait depuis le premier jour...

— Delilah, attends..., lui dit-il d'un ton désespéré.

— Pourquoi ? chuchota-t-elle.

Se penchant sensuellement vers lui, elle lui donna un baiser qui le rendit à moitié fou...

Il ferma les yeux. Il était à présent incapable de se rappeler les conséquences désastreuses qui découleraient d'une nuit passée entre les bras de Delilah...

— Ne dis rien... Ne pense plus, poursuivit-elle sur un ton lascif. Embrasse-moi, et nous oublierons tout...

Oublier ? Telle était donc la cause véritable de son comportement. Effrayée, vulnérable, elle voulait oublier. Et au petit matin, elle regretterait les étreintes de la nuit... Non ! Il ne pouvait tirer profit d'une femme si fragile. Il refusait aussi que ses compagnes d'amour cherchent à exorciser des fantômes dans ses bras ; il voulait qu'elles se donnent à lui pleinement consentantes, sans arrière-pensées.

— Delilah...

Elle étouffa de nouveau sa protestation sous un baiser.

Prenant soudain l'ovale de son visage entre ses paumes, Cam lui dit d'un ton enfiévré :

— Si nous ne cessons pas immédiatement, nous allons faire l'amour. Est-ce réellement ce que tu souhaites ?

Elle le considéra, à la fois stupéfaite et confuse. Une rougeur diffuse se répandit sur ses joues au fur et à mesure qu'elle prenait conscience de son comportement...

— Je ne... Oh, mon Dieu ! Je suis désolée. Je n'aurais jamais dû...

Sans finir sa phrase, elle se mit maladroitement debout.

— Je suis désolée, répéta-t-elle avant de sortir précipitamment de la pièce.

Cam poussa un juron. Pourquoi avait-il fait preuve d'une telle noblesse d'esprit ? Il repensa à la silhouette de Delilah si désirable, penchée au-dessus de lui, juste avant qu'il ne lui rappelle ce qu'il allait se passer...

L'image de la jeune femme était désormais à jamais gravée dans son esprit. Ses lèvres gonflées, ses yeux langoureux, et son petit corps si souple... Bon sang, pourquoi fallait-il qu'il ait une conscience ? Pourquoi n'avait-il pas accepté ce qu'elle lui offrait sans évoquer les conséquences ?

Appuyée contre la porte de sa chambre, Delilah pressa ses mains sur ses joues brûlantes. Que lui arrivait-il ? Comment avait-elle pu se comporter de façon si libertine ? Elle s'était littéralement jetée dans les bras de Cam. S'il ne l'avait pas contrainte à réfléchir à la portée de ses actes, ils auraient fait l'amour ensemble. Or, elle n'était pas libre...

A la fois furieuse et frustrée, elle se mit à faire les cent pas dans sa chambre. Peu importait que Cam lui inspire du désir. Qu'elle se sente en sécurité avec lui. Et qu'elle soit tombée amoureuse de lui. Elle n'était pas libre et ne le serait probablement jamais. Il ne fallait pas que ce dérapage se reproduise.

Au bord des larmes, elle se massa doucement les tempes. L'épisode de l'hôpital l'avait réellement secouée. Elle aurait aimé se convaincre qu'elle avait dramatisé et qu'Avery l'avait définitivement rayée de sa vie, comme on laisse tomber un mauvais investissement. Malheureusement, elle savait qu'Avery Freeman ne la laisserait pas tranquille. Ne la laisserait jamais tranquille... Il n'aurait pas de cesse qu'elle ne retombe sous son emprise. Ou qu'elle ne disparaisse de la surface de la terre.

Delilah soupira tristement. Elle aurait tant aimé ne plus penser à lui. Construire une nouvelle vie, ici, à Aransas City... Hélas, son existence ne serait jamais comme elle le souhaitait. Elle resterait toujours mariée à un individu dangereux et violent qui ne lui accorderait jamais le divorce. Et elle ne pourrait jamais se permettre d'avouer à Cam qu'elle était tombée amoureuse de lui...

Le baiser qu'il lui avait donné était pourtant fantastique... Plus merveilleux encore que dans ses rêves les plus fous... Pourquoi un baiser si magique n'avait-il pas le pouvoir de dénouer tous les problèmes ?

Le lendemain, Cam l'évita soigneusement. Il quitta d'ailleurs le Perroquet Rouge avant le déjeuner, leur laissant, à Martha et à elle, l'entière responsabilité du repas. Comment faire face à l'incident de la veille ? Telle était la question qui tourmenta la jeune femme toute la matinée. Et si la meilleure solution était encore de faire comme si rien ne s'était passé ? Difficile... Elle ne pouvait plus le regarder sans repenser aux sensations qu'il lui avait procurées...

Après le rush du déjeuner, Delilah regagna le bureau de Cam pour passer des commandes. Les bons se trouvaient sur la table de travail. Le problème, c'était qu'elle n'avait pas suffisamment d'expérience pour connaître la quantité exacte à commander. Elle avait recherché des commandes précédentes sur l'ordinateur, pour s'en inspirer, mais n'avait rien trouvé.

Elle pensa un instant requérir le concours de Martha. Mais elle se souvint à temps que chaque fois que cette dernière maniait le clavier et la souris, elle détruisait des fichiers, ce qui rendait Cam furieux. Il lui avait d'ailleurs interdit de se servir de l'ordinateur.

Alors qu'elle était en pleine réflexion, la porte du bureau s'ouvrit brutalement. Cam s'immobilisa sur le seuil.

— Pardon. J'ignorais que tu étais ici.

— Veux-tu que je sorte ?

Elle évita de le regarder, mais le simple timbre de sa voix faisait renaître en elle les souvenirs et les sensations de la veille.

— Non. Pourquoi ? demanda-t-il d'un ton désinvolte.

Refermant la porte derrière lui, il enchaîna :

— Sur quoi travaillais-tu ?

Qu'à cela ne tienne... S'il voulait faire comme si rien ne s'était passé, elle l'imiterait. Elle fit défiler les dossiers sur l'écran.

— J'essayais de retrouver ta commande précédente de vodka, pour savoir combien de bouteilles je devais commander, mais je ne trouve rien dans l'ordinateur.

Se dirigeant vers un placard, il en sortit une chemise en carton retenue pas un bout de ficelle.

— C'est ici que je stocke les derniers bons de

commande. C'est une copie des données enregistrées sur l'ordinateur.

— Je n'ai rien trouvé dans tes fichiers. Sous quel nom les as-tu enregistrées ?

S'approchant du bureau, il lui prit la souris des mains et se pencha vers l'écran.

— Je ne sais plus, il faut que je regarde...

— Pourquoi ne pas les avoir enregistrées tout simplement sous « Commandes » ?

Lui lançant un regard en biais, il grimaça un sourire.

— La bureautique, ce n'est pas ce que je préfère... En général, je n'ai pas besoin de me référer aux anciennes commandes, je sais ce qu'il y a en stock.

Sa tête était toute proche de la sienne. La jeune femme s'efforça de fixer l'écran et d'être absorbée par ce qu'il affichait. Cam finit par trouver ce qu'il cherchait et cliqua sur un fichier appelé « Divers ».

— Les voici ! Logique.

— Logique ? « Divers », cela veut dire tout et n'importe quoi. « Commandes » serait plus logique, non ?

— Cat a raison. J'ai réellement besoin d'une secrétaire. Veux-tu postuler ?

— J'ai déjà un emploi. Enfin, il me semble...

A cet instant, leurs regards s'enchaînèrent... Les yeux de Cam devinrent gris charbon. Comme attirés par une force invisible, ils se rapprochèrent l'un de l'autre... jusqu'à ce que Cam s'écarte vivement d'elle.

— J'ai... j'ai du travail, marmonna-t-il.

Tournant vivement les talons, il sortit du bureau.

Ils ne pourraient s'éviter éternellement, songea Delilah, le cœur battant. Sous peu, ils se retrouveraient de nouveau en tête à tête. Que se passerait-il alors ?

De son côté, Cam semblait n'avoir aucun problème à l'ignorer. Il ne lui adressa quasiment pas la parole de la journée, jusqu'à l'incident fâcheux avec le client irrespectueux...

Ce soir-là, Delilah travaillait derrière le bar. La première fois, elle ne fit pas attention aux réflexions de l'importun accoudé au comptoir. Dans son métier, il était préférable de jouer les indifférentes face à de tels comportements. Par malchance, le client insistait lourdement. Plus la soirée avançait, plus il s'enivrait. Et plus il devenait insupportable.

Si insupportable qu'elle finit par signaler son attitude à Martha.

— C'est la première fois que je vois ce type. Préviens Cam. Il va s'occuper de lui.

Bien, pensa Delilah. Elle tourna alors la tête dans sa direction et celle de la blonde plantureuse qui ne cessait de flirter avec lui depuis le début de la soirée... Non, elle ne lui dirait rien ! décida-t-elle, irritée. Elle réglerait son problème toute seule.

Soudain, comme elle sortait de derrière le bar pour essuyer une table inoccupée, le client eut un geste déplacé. Se retournant vivement vers lui, elle le fixa d'un air furieux. Il lui décocha alors un sourire amusé tout en proférant une grossièreté. Ce fut la goutte qui fit déborder le vase. Elle lui jeta son éponge au visage.

Il se leva en poussant un cri de colère, et lui saisit le poignet. Mais avant qu'elle n'ait eu le temps de réaliser ce qu'il se passait, Cam s'était interposé.

— Dehors ! rugit-il en attrapant l'homme par le bras.

— Pardon ? protesta le client. Cette hystérique m'a lancé une éponge au visage. Je ne lui avais rien fait.

— Taisez-vous ou j'appelle la police ! l'avertit Cam.

L'homme se débattit, les injuria tous les deux, mais Cam le conduisit d'autorité vers la sortie. La scène se déroula si rapidement que les clients n'eurent pas le temps de s'en apercevoir. A l'exception de la blonde à qui Cam avait faussé compagnie et qui semblait d'ailleurs furieuse.

Quelques minutes plus tard, Cam revenait, l'air tendu.

Delilah remarqua alors la trace d'un coup sur sa joue.

— Viens dans mon bureau, lui ordonna-t-il.

Elle obéit, se maudissant pour son emportement.

— Désolée, s'excusa-t-elle lorsqu'il eut refermé la porte derrière eux. En général, je suis très patiente, mais il m'a poussée à bout.

— Il ne reviendra pas, lui assura-t-il en passant ses doigts dans ses cheveux.

Ce fut alors qu'elle vit du sang sur sa main.

— Tu es blessé ! Tu saignes...

Il jeta un coup d'œil distrait à sa main, puis l'essuya sur son jean.

— Ce n'est pas mon sang.

— Vous êtes-vous bagarrés ?

— Que voulais-tu que je fasse ? Que je le félicite ? demanda-t-il en lui lançant un regard agacé.

— Je suis navrée d'être à l'origine de cet incident.

— A l'avenir, essaie de trouver une autre façon pour te débarrasser des importuns.

Cette remarque finit de l'exaspérer. Elle qui, jusque-là, s'était sentie coupable ne put réprimer la colère qui la submergea brusquement.

— En général, les clients ne harcèlent pas les serveuses, rétorqua-t-elle. Je n'ai rien fait pour le provoquer.

— Je ne t'ai pas accusée de l'avoir encouragé, répondit-il froidement. La prochaine fois, appelle-moi en cas de problème.

Et, sans attendre sa réponse, il sortit du bureau.

Dépitée, elle donna un coup de pied dans une chaise... et poussa un cri de douleur.

Plus tard dans la soirée, Martha vint la rejoindre derrière le bar.

— Cam est d'une humeur massacrante, soupira-t-elle. Je ne sais pas ce qui le contrarie.

— Ce n'est sûrement pas la blonde qui ne le lâche pas du regard, maugréa Delilah.

L'intrigante était toujours là, suspendue à la moindre parole de Cam. Et cela l'agaçait à un point tel qu'elle avait presque la nausée à l'idée qu'il termine la soirée en sa compagnie...

— Oh ! fit Martha en riant. Elle ? Cela fait des semaines qu'elle lui tourne autour. J'aurais pourtant cru que, avec ton arrivée, il aurait enfin pris conscience de certaines choses...

— Que veux-tu dire ?

— Toutes ces femmes qui viennent ici pour ses beaux yeux et qui ne valent rien... Je me demande bien ce qu'elles ont dans la tête pour montrer si clairement leur jeu.

— Cela n'a pas l'air de déplaire à Cam, laissa tomber Delilah d'un ton dégoûté.

A cet instant, elle vit la blonde poser une main possessive sur le bras de Cam, ses longs ongles vernis brillant sous la lumière. Elle n'avait pas le droit d'être jalouse, elle le savait, et pourtant, ce tableau la faisait souffrir... Cruellement.

— Cam tue le temps, c'est tout, lui assura Martha.

— Il a l'air d'y prendre goût !

— Ma chérie, fit Martha en lui lançant un regard en coin, c'est toi qui l'intéresses. Et vice versa, d'ailleurs...

— Non, Martha, ce n'est pas ce que tu crois. Cam et moi nous...

Mais elle fit l'erreur de regarder de nouveau dans la direction du couple. La blonde riait et se penchait vers Cam, lui offrant une vue imprenable sur son décolleté.

— ... nous sommes juste amis, rien de plus, ajouta-t-elle d'un ton un peu trop catégorique pour être sincère.

— Bien sûr... Et c'est pour cela qu'il te regarde avec des yeux brûlants chaque fois qu'il croit que tu ne le vois pas, et que tu ne manques pas une occasion de le fixer dès qu'il tourne la tête ?

Martha leva un sourcil sceptique avant d'ajouter :

— Et puis, franchement, il pouvait se contenter de mettre ce pauvre type à la porte sans le frapper ! Si tu avais vu son regard mauvais quand il s'est rendu compte que le client t'importunait... J'ai cru qu'il allait l'étrangler sans sommations !

Séduisante théorie ! pensa Delilah. Peut-être Cam lui avait-il fait la leçon dans le bureau pour masquer ses sentiments. Hélas, lorsqu'il quitta le Perroquet Rouge en compagnie de la blonde, la séduisante théorie s'effondra...

14.

Il faisait nuit noire lorsque Cam rentra chez lui. Sans se soucier d'allumer la lumière, il se dirigea tout droit vers le placard de la cuisine et y trouva ce qu'il cherchait : un verre et une bouteille de whisky. Il se rendit ensuite dans le salon, se laissa tomber sur le canapé et, s'emparant de la télécommande, alluma la télévision. Il prit soin de mettre le volume au minimum avant de se servir un verre de whisky.

« Regarde la vérité en face, tu es coincé », pensa-t-il en avalant une gorgée d'alcool.

Il ne pouvait rien entreprendre avec une femme qu'il ne désirait pas, et quant à celle qu'il désirait, il ne pouvait pas davantage entamer une liaison avec elle !

Si encore Delilah avait été indifférente à sa personne... Mais ce n'était pas le cas. Il lisait son désir dans ses yeux clairs, il l'entendait dans sa voix. Mieux : il l'avait senti lorsqu'elle l'avait embrassé, lorsqu'ils avaient été sur le point de faire l'amour... Le désir de Delilah était aussi fort que le sien. Pourtant, elle s'était enfuie de ses bras. D'ailleurs, chaque fois qu'ils se rapprochaient l'un de l'autre, elle se dérobait.

Pour sa part, il connaissait les raisons de sa réserve : il avait peur de l'amour passionné... Mais elle, pourquoi le fuyait-elle ? Découragé, il passa une main sur son visage.

Pourquoi ? Parce qu'elle ne lui faisait pas confiance, voilà tout ! pensa-t-il avec amertume. Parce qu'elle était traumatisée par sa relation précédente et qu'elle n'était pas prête à croire de nouveau en un homme. Hier soir, si elle l'avait embrassé, c'était par unique besoin de réconfort, pour oublier la scène qui l'avait terrorisée, à l'hôpital. Rien de plus... Il ne fallait pas qu'il oublie cela.

Ce soir, il avait voulu se noyer dans le plaisir charnel à l'état pur, sans promesse, ni émotion, le plaisir pour le plaisir, celui qui préservait de la souffrance, celui qui effaçait les frustrations et les désirs inaccessibles. Et c'était avec la ferme intention de finir la nuit auprès d'Isabel qu'il avait quitté le Perroquet Rouge à son bras. Ils étaient assurément faits pour se comprendre. Ne partageait-elle pas les mêmes desseins que lui ?

Hélas... Il n'avait même pas été capable de les mener à bien, ces fameux desseins... Contrairement à ses attentes, il n'avait pas passé une nuit enfiévrée dans les bras d'une blonde voluptueuse, n'avait pas apaisé les affres qui le rongeaient jour et nuit depuis que Delilah habitait chez lui. Un quart d'heure après son arrivée chez Isabel, il remontait dans son pick-up sans même l'avoir embrassée. Le cœur n'y était pas. Ni l'envie, ni rien... Il avait alors foncé à tombeau ouvert vers la plage, puis il avait longuement marché sur la grève, à quelques mètres de la mer sombre et mouvante, essayant de vider son esprit de toutes ces pensées et ces images qui l'obsédaient à le faire hurler. Puis il avait regagné l'appartement, espérant que Delilah serait endormie.

Vidant son verre de whisky, Cam le reposa d'un geste brusque sur la table. Incroyable ! Même l'alcool ne lui était d'aucun secours, ce soir. Décidément, rien ne pouvait lui faire oublier Delilah et les sensations que lui avait procurées leur furtif — ô bien trop furtif — enlacement de la veille.

— Tu n'as pas la tête d'un homme qui a passé une charmante soirée.

Il sursauta.

Delilah se tenait sur le seuil. Elle portait un long T-shirt en coton bleu qui lui arrivait à mi-cuisse. Un T-shirt qu'elle lui avait emprunté. Un T-shirt et rien d'autre...

— Va te coucher, Delilah, grogna-t-il. Je ne suis pas d'humeur à discuter. Et excuse-moi de t'avoir réveillée.

Sans prêter attention à ses propos, elle se dirigea vers le canapé pour prendre place à côté de lui. Pointant du doigt le verre vide, elle demanda d'un ton moqueur :

— Peux-tu m'en servir un doigt ou bien n'es-tu pas non plus d'humeur à partager ton whisky ?

Il serra les dents. S'emparant de la bouteille, il versa un peu d'alcool ambré dans le verre. Ce fut alors que le parfum de Delilah l'envahit... Son estomac se contracta. Par quel miracle une fugitive qui avait franchi le seuil de sa maison avec pour seul bagage un sac à dos pouvait-elle sentir aussi bon ? Il fallait croire que ce sac anodin contenait un concentré d'innocence et de péché enfermé dans une précieuse fiole.

Malgré lui, il l'observa à la dérobée. Son cou se contractait légèrement au passage de l'alcool. Sa peau semblait si douce... Etait si douce, corrigea-t-il en sentant son cœur s'emballer. Une peau faite pour les caresses et les baisers. Il glissa les yeux vers la poitrine de Delilah... Ses seins ronds et libres tendaient gentiment l'étoffe du T-shirt. Il brûlait d'envie de les étreindre entre ses paumes, puis de modeler son corps, comme il aurait déjà aimé le faire la veille au soir. Il rêvait de la voir alanguie dans son lit, nue...

Dans un suprême effort, il dirigea son regard vers l'écran de télévision.

— Que fais-tu debout à cette heure ? questionna-t-il.

— Je n'arrive pas à dormir. Je n'arrête pas de penser...

Il fut tenté d'effleurer son bras, mais se retint à temps... Le moindre geste envers elle aurait signé son arrêt de mort.

— C'est encore ce type qui t'obsède ? Je t'ai déjà dit que tu étais en sécurité, ici.

Elle laissa échapper un rire sec et, reposant le verre sur la table, décréta :

— Je ne suis nulle part en sécurité tant qu'il est en vie.

— Aurais-tu préféré le tuer ?

— Non, bien sûr que non... Avoir la mort d'un homme sur la conscience, ce doit être terrible. Même un homme aussi malfaisant que lui. Mon vœu le plus cher serait de ne plus jamais le revoir.

Ne sachant que répondre, Cam se resservit une rasade de whisky. Il en avala un long trait, puis tendit le verre à Delilah. A son tour, elle but un peu d'alcool. Il ne put s'empêcher de la regarder de nouveau... Son odeur, sa chaleur, son désir, tout contribuait à le rendre fou. Il la revoyait juchée sur lui, le visage dévoré par la passion...

— Ce n'était pas à lui que je pensais, reprit-elle

soudain en braquant ses prunelles sur lui. Mais à toi... Et à moi. A ce qu'il s'est passé hier soir, entre nous.

Bon sang ! Sans prononcer un mot, il lui prit le verre des mains et avala une longue gorgée de whisky. Il pressentait déjà la suite...

— Toi non plus, tu ne peux pas oublier, n'est-ce pas ? poursuivit-elle.

Il se força à rire. Un rire tellement faux accompagné d'un regard qui l'était tout autant.

— Détrompe-toi, ma chérie, j'ai oublié cette scène dans les trente secondes qui ont suivi.

— Je ne te crois pas, insista-t-elle doucement. Ce soir, tu es parti avec cette blonde pour tenter d'oublier ce qu'il s'était passé hier. Pour te persuader qu'il n'y a rien entre nous.

Haussant les épaules, il répondit crûment :

— Si je suis parti avec cette blonde, comme tu dis, c'était pour coucher avec elle ! Et jusqu'à nouvel ordre, cela ne te regarde pas.

— Je sais, dit-elle en se mordant la lèvre supérieure.

Elle parlait d'une voix basse, sans le regarder.

— Cela fait deux heures que je suis étendue dans le noir et que je m'efforce en vain de ne pas t'imaginer avec elle, en train de faire l'amour...

Levant brusquement les yeux, elle ajouta :

— Deux heures que je souffre de ne pas être à sa place, dans tes bras...

Cam se figea, incapable de répondre, incapable d'ailleurs de la moindre réaction. Il se sentait au bord d'une falaise, prêt à basculer dans le vide... Se rapprochant de lui, Delilah posa une main sur son bras. Son parfum enivrant brouillait ses pensées, le contact de sa main chauffait son désir à blanc...

— As-tu couché avec elle, Cam ?

Il tourna la tête vers elle. Un petit mensonge, un fichu petit mensonge de rien du tout et il était sauvé ! Delilah était bien trop dangereuse pour lui, il devait se protéger. Ne pas courir le risque de tomber amoureux d'elle... Mais dès l'instant où elle avait franchi le seuil du Perroquet Rouge, il avait été prêt à prendre tous les risques pour elle. Il scruta ses prunelles, en quête du doute qui le sauverait... Il n'y vit que l'éclat insolent du désir.

— Non, laissa-t-il alors tomber, conscient qu'il rompait toutes les digues. Je n'ai pas couché avec elle.

— Pourquoi ? demanda-t-elle dans un murmure en se pressant contre lui.

— Parce que je n'en avais aucune envie.

La saisissant par les bras, il plongea son regard dans le sien et ajouta avec une violence à peine contenue :

— C'est toi que je désire, Delilah et tu le sais très bien ! Je te désire si fort que cela m'obsède. Et je préfère te prévenir... Cette fois, si je t'embrasse, je ne m'arrête plus... Pas avant d'être en toi.

Il ne pouvait être plus clair. Il lui donnait également une ultime chance de se rétracter. Une chance de revenir à la raison. De les ramener tous les deux à la raison.

Sans dire un mot, Delilah retira lentement son T-shirt et le laissa tomber par terre. Elle portait juste une culotte rose, celle sur laquelle il avait fantasmé la nuit précédente.

— Caresse-moi, lui chuchota-t-elle d'une voix aussi suave et tentatrice qu'un chant de sirène.

— Ne te fais pas de souci pour cela, Delilah...

Elle guida alors ses mains vers ses seins…

Sa peau était douce, chaude, vivante, et ses seins aussi beaux qu'il les avait imaginés. Fermes et pleins, avec des pointes couleur rose thé. Il les caressa, les embrassa, les respira… Il vivait enfin son rêve. Un merveilleux rêve érotique.

— Tu es si belle, incroyablement belle, ne cessait-il de répéter.

Elle laissa fuser un rire délicieux avant d'unir sa bouche à la sienne. Après un long baiser passionné, elle lui susurra à l'oreille :

— Enlève ta chemise. Moi aussi, je veux te toucher, te sentir…

A la pensée de sa peau douce et parfumée tout contre la sienne, il obtempéra immédiatement. Fébrile, elle l'aida à retirer sa chemise, leurs doigts jouant une partition commune et nerveuse sur les boutons. Puis elle s'allongea sur le canapé, offerte…

Se glissant sur elle, il l'embrassa fougueusement, tandis qu'elle enroulait ses jambes semblables à des lianes autour de ses reins.

— Cam, je te désire tant…

— Allons dans la chambre, dit-il d'une voix haletante, sans cesser de l'embrasser.

— Non, ici, dit-elle en s'arc-boutant contre lui. Enlève ton jean.

En un rien de temps, il fut debout et s'exécuta. Elle s'apprêtait à retirer sa culotte quand…

— Attends ! l'arrêta-t-il en lui saisissant la main. Laisse-moi faire. J'en rêve depuis de si longues semaines…

— Vraiment ? s'étonna-t-elle. Tu as bien caché ton jeu.

Sans répondre, il se mit à genoux devant elle et fit

lentement rouler la dentelle rose sur les cuisses soyeuses de Delilah.

— J'y pensais nuit et jour, murmura-t-il alors… avant de se pencher pour embrasser son intimité.

Elle était comme il l'avait espéré, tout à fait prête pour lui. Il eut à peine le temps de se munir d'une protection qu'il plongeait déjà en elle. Elle se referma délicieusement autour de lui et, quand leurs yeux se croisèrent, ils poussèrent tous deux un soupir de plaisir.

Elle se cambra avec sensualité sous lui, et ils se mirent à chalouper fiévreusement, passionnément… Jusqu'à ce qu'une vague brûlante les rejette vers les rives de la volupté absolue.

Au milieu de la nuit, quand Delilah s'était réveillée sous les caresses de Cam, elle avait alors songé à lui avouer la vérité. Toutefois, au moment de lui annoncer qu'ils devaient parler, elle avait finalement renoncé, incapable de franchir le pas. C'était au-dessus de ses forces. Elle ne pouvait pas tout détruire maintenant. Puisque cette nuit n'était pas destinée à se répéter, puisqu'il était impossible qu'elle se reproduise, elle tenait au moins à ce qu'elle soit parfaite. Aussi, lorsque Cam l'avait embrassée, elle avait répondu à son baiser avec une fièvre toute renouvelée.

Mais le matin, elle dut affronter les conséquences de ses actes à la lumière froide du jour. Cette fois, elle devait lui avouer la vérité. Se redressant sur un coude, elle inclina la tête sur le côté et l'observa, émue… Seigneur ! Qu'il était beau. Et tellement bon. Un homme comme elle en avait rarement rencontré. Un homme qu'elle aurait aimé garder près d'elle pour toujours.

Cam battit des paupières, ouvrit les yeux puis lui sourit.

Le cœur de Delilah se mit à battre un peu plus fort.

— Cam, nous devons parler, déclara-t-elle d'une voix qu'elle s'efforça de maîtriser.

— Plus tard, répondit-il en l'attirant dans ses bras.

— Cam, attends, je suis sérieuse.

Son beau sourire s'évanouit d'un coup.

— Que se passe-t-il, ma chérie ?

A cet instant, la sonnerie de l'entrée les interrompit.

— La barbe, grommela Cam en s'asseyant sur le lit. Je parie que c'est Gabe. J'avais oublié qu'il devait passer ce matin de bonne heure.

Il jeta un coup d'œil à sa montre.

— Et il faut que, aujourd'hui, il soit à l'heure, lui qui est toujours en retard.

Seigneur ! pensa Delilah. Gabe la détestait. S'il...

Comme devinant ses pensées, Cam la rassura.

— Ce n'est pas un mauvais bougre, tu sais, mais parfois il a vraiment une tête de cochon.

— Je n'ai rien dit, se défendit-elle.

— Tu n'as pas besoin de parler, ton expression est suffisamment éloquente. Allons, ne t'inquiète pas. Il changera d'attitude lorsqu'il te connaîtra mieux.

Il lui donna un bref baiser avant de se lever.

Non, pensa Delilah avec tristesse, Gabe ne changerait pas d'attitude. Bien au contraire ! Il la détesterait encore plus quand il apprendrait le secret qu'elle avait caché à Cam concernant son mariage.

— Vas-tu le mettre au courant, pour nous deux ? demanda-t-elle, inquiète.

— Je ne crois pas que ce soit nécessaire. Mais attends-toi à ce qu'il s'en rende rapidement compte. Il a des antennes pour ces choses-là !

Lorsque, une demi-heure plus tard, elle pénétra dans la cuisine, Delilah était à cran. Elle s'était douchée, habillée et même maquillée pour se donner du courage. Allons ! Elle avait affronté bien pire que Gabe, et elle avait survécu.

Elle le salua rapidement et se dirigea vers les fourneaux.

— Je vais m'en occuper, dit-elle à Cam qui s'apprêtait à casser des œufs.

— Merci, répondit-il en lui adressant un petit sourire.

Un sourire intime qui prouvait qu'il avait toujours en tête la merveilleuse nuit qu'ils venaient de passer ensemble, et non le petit déjeuner qu'il était en train de préparer.

Delilah lui rendit son sourire.

— Tu couches avec elle ! s'exclama Gabe qui n'avait pas manqué de remarquer leur petit manège. J'aurais dû me douter que toutes ces protestations d'innocence étaient fallacieuses.

Son ton était amer, furieux. Il décocha un regard noir à Delilah avant d'ajouter à l'adresse de son frère :

— Es-tu devenu fou ?

Delilah venait de jeter le dernier œuf dans l'huile, sachant pertinemment que personne, maintenant, ne songerait à déjeuner.

Gabe poursuivait d'un ton rageur :

— Est-ce le démon de midi qui, à l'approche de la quarantaine, te fait tourner la tête ?

— Arrête, Gabe ! répliqua Cam. Je sais parfaitement ce que je fais.

— Permets-moi d'en douter. Elle te mène en bateau depuis le début et toi, tu as mordu à l'hameçon, comme un adolescent. Je connais ce genre de femme.

— Et moi, je connais Delilah ! rétorqua Cam qui commençait à s'énerver. Elle n'est pas celle que tu crois.

— Oh si ! C'est le genre de séductrice qui vous laisse sur la paille en partant.

— Assez, Gabe ! s'écria violemment Cam.

Il avait les poings serrés, le visage crispé... « Il est sur le point de perdre son sang-froid », pensa Delilah avec effroi. Il fallait que Gabe s'en aille ! Tout de suite.

Mais ce dernier n'en avait pas encore terminé. Ses yeux lançaient des éclairs lorsqu'il reprit la parole en s'adressant directement à elle, cette fois :

— Cam est aveuglé par son complexe de bienfaiteur, mais moi, ma chérie, on ne m'abuse pas.

Pointant un doigt accusateur vers elle, il continua :

— Tu es synonyme de « problème », c'est écrit sur ton front en lettres capitales. Or, je ne veux pas que mon frère ait des ennuis.

Il s'interrompit pour se tourner vers Cam.

— Tu ne penses pas avec ton cerveau, lui reprocha-t-il alors, mais avec tes...

— Tais-toi, Gabe ! lui ordonna Cam en posant une main sur l'épaule de Delilah. Ma vie privée ne te regarde absolument pas.

Gabe les scruta l'un après l'autre avec une attention soutenue, puis déclara dans un rictus :

— Combien paries-tu qu'elle plie bagage dès l'instant où elle trouve une cible plus intéressante que toi ? Je t'assure que tu pourras t'estimer heureux si elle n'emporte pas la caisse en partant.

— Tu déralles complètement, Gabe. Tu ne connais pas Delilah.

— Dix dollars que je ne me trompe pas, insista Gabe en sortant un billet de son portefeuille. Vas-y, renchéris, on va voir jusqu'où tu montes.

Les deux frères se jaugèrent durement. La tension montait à vue d'œil. Delilah eut la sensation que des éléments lui manquaient pour saisir ce qu'il se passait réellement entre Cam et Gabe.

— Non, je ne marche pas..., déclara Cam. C'est stupide.

— Dois-je en conclure que tu te dégonfles ?

Cameron ne répliqua pas. Presque avec désinvolture, il sortit à son tour un billet qu'il posa sur celui de Gabe.

— A toi, lui dit-il.

Delilah savait maintenant que le véritable enjeu de l'étrange scène lui échappait. Incapable de supporter une seconde de plus la situation et d'être source de différend entre les deux frères, elle s'écria :

— Non !

Cam lui jeta un regard surpris.

— Gabe a raison. Pas en ce qui concerne ta caisse, mais il a vu juste pour ce qui est de ma duplicité... Je t'ai menti, Cam.

15.

Un long silence tendu suivit cette révélation.

Cam entendit Gabe jurer dans son coin, mais la réaction de son frère était actuellement le cadet de ses soucis. Ce qui l'intéressait, c'était que Delilah poursuive.

— A propos de quoi m'as-tu menti ? lui demanda-t-il d'une voix calme.

La jeune femme était livide et le fixait sans le voir. Une curieuse nausée s'empara alors de lui.

— Cam, pouvons-nous discuter en tête à tête ? murmura-t-elle, en se tournant vers Gabe.

Ce dernier jeta un bref coup d'œil vers son frère, jura une nouvelle fois, puis sortit de la pièce d'un pas vif.

— J'ai voulu te le dire ce matin, commença Delilah. Avant que Gabe n'arrive...

Cam fit un effort pour se concentrer sur ce que disait la jeune femme, mais il flottait au milieu d'un épais brouillard où tout semblait n'avoir aucune forme concrète. Le cours des événements venait de lui échapper. Il vit Delilah se tordre les mains nerveusement, comme dans un mauvais rêve.

— A propos de quoi m'as-tu menti ? répéta-t-il d'une voix mécanique.

— Quand je t'ai dit que je fuyais mon petit ami...

Elle hésita, braquant vers lui ses grands yeux bleu nuit, noyés de larmes. Alors il comprit !

— Ce n'est pas ton petit ami, n'est-ce pas ?

Elle secoua la tête, les yeux toujours rivés sur lui.

— C'est mon mari, articula-t-elle d'une voix brisée.

Ces propos le frappèrent comme une balle en plein cœur. Et se mirent à résonner en boucle dans son cerveau.

Elle avait un mari...

Elle lui avait donc bel et bien menti...

— N'aurait-il pas été préférable que tu m'en parles *avant* que nous ne couchions ensemble ? laissa-t-il tomber sèchement.

— Je ne pensais pas que cela arriverait...

— Là-dessus, au moins, nous sommes d'accord... Ah, et puis cesse donc de me regarder de cette façon ! Comme si j'allais te frapper !

— Avery m'a donné de mauvais réflexes, dit-elle simplement.

— Contrairement à lui, je ne frappe pas les femmes, moi, répliqua-t-il avec rancœur en faisant claquer ses mots avec soin.

Il savait bien que c'était mesquin, mais il s'en fichait. Il voulait la blesser aussi profondément qu'elle l'avait fait.

— Je t'ai pourtant demandé si tu étais mariée, non ? Je t'ai posé la question directement. Et tu m'as répondu que non. Ce n'est donc même pas un mensonge par omission.

— J'avais peur... Je ne te connaissais pas et j'étais terrifiée à l'idée de ce qu'il se passerait s'il me retrouvait. Je n'avais nulle part où aller. J'ai songé qu'il était plus prudent de taire la vérité.

— Et après, une fois que tu as appris à me connaître, ne pouvais-tu toujours pas me l'avouer, cette fichue vérité ? Ne pouvais-tu donc pas me le dire avant que je...

Il s'interrompit, furieux. Bon sang ! Pourquoi ne lui avait-elle rien dit avant qu'ils ne fassent l'amour ? Avant qu'il ne tombe amoureux d'elle...

— Je regrette. J'aurais dû effectivement te prévenir. Après la scène de l'hôpital, quand j'ai cru voir Avery, je... j'aurais dû. Mais je m'étais fait la promesse qu'il ne se passerait rien de plus entre nous. Et je le pensais sincèrement. Je m'étais juré que... Mais il était déjà trop tard !

— Etait-ce donc un jeu pour toi ? Me rendre fou de désir pour toi jusqu'à ce que je ne puisse plus résister, et après, seulement *après*, m'avouer la vérité ? Etait-ce au moins un jeu excitant ?

— Arrête Cam ! s'écria-t-elle, désespérée. Comment peux-tu me soupçonner de telles horreurs ?

Elle fit un mouvement vers lui...

Il recula de quelques pas.

— Non, Delilah, ne me touche pas ! la prévint-il d'une voix tremblante de colère. Ce n'est vraiment pas le moment.

Elle s'arrêta brusquement, et les quelques centimètres qui les séparaient parurent se transformer en un gouffre infranchissable.

— Cam, reprit-elle alors dans un souffle, la nuit que nous venons de passer ensemble représente bien plus à mes yeux que tu ne peux le concevoir. C'est la plus belle chose qui me soit jamais arrivée...

— Me prends-tu pour un imbécile ? répliqua-t-il

sèchement. Un idiot ? Crois-tu que je vais avaler tes sornettes ?

A ces mots, une larme roula sur la joue de Delilah.

— Je suis désolée de t'avoir blessé. Désolée de t'avoir caché la vérité. Tu as toutes les bonnes raisons et le droit le plus absolu de me détester.

— Fiche-moi la paix ! marmonna-t-il.

La détester ? Comme il aurait aimé la détester ! C'était une menteuse et elle était mariée.

Et, pour couronner le tout, il était amoureux d'elle.

Elle ne récoltait que ce qu'elle méritait, se dit tristement Delilah, c'est-à-dire le mépris total de Cam. Savait-il toutefois que jamais son jugement ne serait plus sévère que le regard qu'elle portait sur elle-même ? Elle devait partir de toute urgence. Nul doute qu'il ne souhaitait pas qu'elle s'attarde chez lui après son désastreux mensonge. D'ailleurs, même s'il avait accepté qu'elle reste, elle serait partie. Affronter chaque jour l'hostilité et la méfiance d'un homme qu'elle aimait aurait représenté une épreuve insurmontable.

Elle ne mit pas longtemps à faire ses bagages. Elle ne possédait pas grand-chose et préférait laisser ici tout ce que Cam lui avait offert.

Ajustant son sac à dos sur son épaule, elle se redressa et s'essuya les yeux. Elle aurait tout le temps de pleurer plus tard. Il s'agissait à présent de faire ses adieux à Cam, et de le faire le plus dignement possible.

Au moment où elle se retournait, son cœur se mit à battre sourdement. Cam l'observait depuis le seuil de la chambre. Il avait l'air las. Las et furieux. Et elle lisait de la douleur dans ses yeux. La douleur infinie qu'elle y avait mise...

— Tu t'enfuis encore ? lança-t-il, sarcastique.

— Je ne pense pas que tu tolères plus longtemps ma présence chez toi.

Sans répondre, Cam entra dans la chambre et se planta devant elle, le visage blême.

— M'as-tu menti sur tout ?

— La nuit dernière, je te désirais vraiment, répondit-elle en tâchant de contrôler le tremblement de sa voix.

« Je t'aime », pensa-t-elle alors. Hélas ! Un tel aveu, maintenant, aurait été aussi humiliant qu'inutile, et elle voulait conserver un minimum de dignité dans sa détresse.

— J'avais besoin de toi, ajouta-t-elle.

Elle vit la colère briller dans les yeux de Cam, une colère qui les rendait gris foncé, presque noirs...

— Si j'étais toi, je ne reviendrais pas sur ce qu'il s'est passé cette nuit, lui conseilla-t-il durement. Tu t'es méprise sur le sens de ma question. Ce que je voulais savoir, c'était si ton mari te frappait *vraiment*.

— Oui, murmura-t-elle, bouleversée par sa rudesse.

— A-t-il bien tenté de t'étrangler ? A-t-il mis des somnifères dans ta nourriture ? T'a-t-il réellement séquestrée ?

— Oui, confirma-t-elle encore en relevant le menton d'un air de défi. Me crois-tu ?

Le visage de Cam s'était soudain durci. Il se laissa lourdement tomber sur le lit avant de répondre.

— Oui, je te crois.

A contrecœur, manifestement, mais au moins il la croyait...

— Acceptes-tu d'entendre les raisons qui m'ont conduite à l'épouser puis à le fuir ?

— Cela dépend, dit-il en dardant sur elle un regard impitoyable. Cela dépend de la part de vérité et de mensonge que tu as l'intention de mettre dans ton histoire.

— Ecoute-moi et tu jugeras après, proposa-t-elle.

Croisant les bras, il annonça d'un ton impassible :

— Très bien. Je t'écoute.

Delilah prit une large inspiration avant de prononcer à voix haute, et pour la première fois depuis sa fuite, le nom de son mari :

— Il s'appelle Avery Freeman. Il est avocat à Houston. Un avocat réputé et respecté, qui a des relations partout, et notamment dans la police.

Laissant fuser un rire sec, elle précisa :

— Il est tout ce que je ne suis pas !

Le visage impénétrable, Cam ne fit aucun commentaire.

Elle poursuivit son récit, et fut étonnée du soulagement que lui procurait le fait de raconter son histoire.

— Je travaillais comme serveuse dans un snack de Houston. Pas l'endroit le plus chic de la ville, mais pas un bar malfamé non plus. Les pourboires étaient généreux. La clientèle correcte. J'économisais chaque centime possible pour payer mes cours du soir, à l'université. J'étudiais, comme tu le sais, la comptabilité.

Mais Cam, toujours impassible, attendait la suite.

Lui jetant un pauvre sourire, elle poursuivit :

— Un client a commencé à venir régulièrement et s'arrangeait toujours pour occuper les tables que je servais. Mes collègues me taquinaient à ce sujet dans la mesure où il attendait souvent au comptoir qu'une de mes tables se libère pour s'y asseoir. Il me laissait de larges pourboires, mais je n'y prêtais pas attention. Je n'ai pas compris tout de suite que je l'intéressais. Il était bien plus âgé que moi. Je lui donnais quarante-cinq ans environ.

— Il me semblait bien que tu étais attirée par les hommes plus âgés, laissa tomber Cam dans un sourire cynique.

Ni sa remarque ni son sourire n'étaient encourageants, mais au moins il avait ouvert la bouche, pensa tristement Delilah.

— Avery était vraiment charmant, au début, poursuivit-elle. Beau, respectueux, tout ce à quoi je n'étais pas habituée. Voilà pourquoi j'y étais si sensible. Il ne cherchait pas à poser ses mains sur moi quand je tournais le dos, comme beaucoup d'autres clients. Il aimait discuter avec moi. Nos conversations me plaisaient et, peu à peu, je me suis mise à apprécier sa compagnie.

A cet instant, elle ferma les yeux, puis s'assit à son tour sur le bord du lit. Des flashes de sa vie passée venaient de lui traverser l'esprit, l'emplissant de nouveau d'angoisse. Mais elle devait aller jusqu'au bout.

— Il s'attardait de plus en plus souvent jusqu'à la fermeture du snack pour pouvoir me raccompagner jusqu'à ma voiture, reprit-elle après s'être éclairci la gorge. Au début, je ne voulais pas qu'il me reconduise chez moi. Comme je te l'ai dit, j'étais seule au monde depuis l'âge de seize ans et j'avais appris à me méfier des hommes. Pas assez cependant... Au bout d'un certain temps, j'ai baissé la garde et nous avons commencé à sortir ensemble, le soir...

A ce stade du récit, elle fit une longue pause et parut s'absorber dans ses pensées.

— Qu'y a-t-il ? demanda alors Cam.

— J'essayais de comprendre pourquoi je n'avais pas perçu les signes qui auraient dû me mettre la puce à l'oreille et m'éclairer sur sa véritable personnalité. Ils étaient subtils, c'est vrai, mais tout de même déjà présents.

— A ton avis, pourquoi ne les as-tu pas vus ?

— Sans doute avais-je envie de croire à sa sincérité. Il m'invitait dans des endroits très chic, dans de grands restaurants, au théâtre, à l'opéra même. En revanche, il ne m'a jamais présenté sa famille, ni ses amis. J'ai dû, en tout et pour tout, croiser trois de ses connaissances. Je croyais qu'il me voulait pour lui tout seul, et cela me flattait, ajouta-t-elle en rougissant.

Pourquoi ne s'était-elle pas rendu compte que ce comportement était curieux ? Pourquoi n'avait-elle pas vu combien Avery était autoritaire, ni de quelle façon il prenait progressivement possession d'elle et de sa vie ?

— Il s'est mis à m'acheter des vêtements, des bijoux coûteux. Au début, j'étais gênée. Mais il m'assurait que c'était naturel. Il prétendait adorer m'offrir de belles choses. Et il semblait si désespéré lorsque je refusais ses cadeaux. Aussi ai-je fini par ne plus lutter. J'acceptais ses présents et je ravalais mes scrupules.

Le récit devenait plus difficile à présent. Oui, il était moins aisé d'admettre à quel point elle avait été inconsciente, de quelle manière elle s'était laissé influencer par ses manières flatteuses, ses mensonges habiles.

— Tout s'est passé si rapidement. Il m'entraînait dans son sillage sans que je m'en rende compte. Il faut dire que j'en avais assez d'être seule. Assez de me battre. Il me promettait monts et merveilles. L'idée de ne plus avoir de problèmes financiers était si tentante. Mais il n'y avait pas que cela... Il me jurait qu'il m'aimait et je le croyais. Finalement, il est parvenu à me convaincre de l'épouser.

— Et toi, l'aimais-tu ?

— Je le souhaitais de toutes mes forces... J'aimais surtout l'idée d'être avec un homme qui m'aimait autant. Et, sincèrement, je pensais que je finirais par l'aimer. Mais je l'appréciais énormément. Enfin, l'homme pour qui je le prenais me plaisait énormément. Mais cet homme-là n'existait pas...

Se frottant les mains, elle baissa la tête et poursuivit :

— Son vrai visage, il me l'a montré peu après notre mariage.

— De quelle façon ?

Etait-ce un effet de son imagination ou la colère de Cam avait-elle disparu ? Quelque peu soulagée, elle reprit son récit :

— Un soir, j'avais la migraine. Une violente migraine. Avery voulait que... que nous fassions l'amour.

Elle regarda droit devant elle, peu désireuse de croiser les yeux de Cam à cet instant, et continua :

— Je lui ai dit que je me sentais mal. Mais il n'a rien voulu savoir...

— Delilah, regarde-moi...

Elle secoua la tête, la gorge serrée. Elle sentit alors la main de Cam se poser doucement sur la sienne.

— Ce n'est pas ta faute.

Elle fixa leurs mains emmêlées, celle de Cam si grande, si vigoureuse, et la sienne, bien vulnérable en comparaison.

— Je... Il ne m'a pas violée.

— Il t'a contrainte à avoir un rapport sexuel avec lui contre ta volonté. Comment appelles-tu cela ?

— Cela ne s'est pas déroulé exactement de cette façon. Il a insisté sur le fait que nous étions mariés, qu'il était mon époux et que, à ce titre, je lui devais *obéissance.*

Accablée par le souvenir de ce terme si humiliant, elle aspira une large bouffée d'air.

— Il me faisait peur. La lueur que je lisais dans ses yeux me terrorisait. La façon qu'il avait de me tenir les bras... Alors je l'ai laissé faire.

— Le s... ! s'écria Cam en se levant. Etre marié ne confère pas ce genre de droit, Delilah.

— Le lendemain, il a évité le sujet. Moi aussi. J'essayais de me rassurer en me convainquant qu'il avait dû boire. J'étais si naïve, si crédule... Oui, je voulais justifier son odieux comportement de la veille par un abus d'alcool. C'était plus simple ainsi.

— Et tu es restée avec lui.

— Nous étions mariés depuis deux mois seulement ; je voulais donner une chance à cette union. Je pensais que c'était ma faute, que je ne faisais pas ce qu'il fallait. Même si au fond de moi, je pressentais le pire... Et le pire est effectivement arrivé.

Elle se tut un instant, puis reprit d'une voix plus grave :

— Il n'aimait pas mes amies. Il ne voulait plus que je les voie. Pour calmer le jeu, je les ai priées de ne plus venir à la maison. Il désirait également que je cesse de travailler. Il m'avait promis de payer mes études avant le mariage. Au fond, pourquoi ne pas étudier tranquillement ? me suis-je dit. J'ai donc donné ma démission au snack, mais j'ai dû aussi arrêter les cours.

— Pourquoi ?

— Après ma démission, il a cessé de payer la faculté... Puis il m'a retiré ma voiture. Il m'a d'abord affirmé qu'elle était chez le garagiste, puis il a prétendu que sa première femme était morte dans un accident de voiture. Qu'elle était ivre et qu'elle avait perdu le contrôle de son véhicule. Qu'il était fou d'inquiétude à l'idée que le même accident puisse m'arriver. Par conséquent, il préférait que je ne conduise plus. Là, c'était la goutte qui faisait déborder le vase. Cette histoire de voiture, c'était complètement irrationnel... J'ai eu le curieux sentiment que j'allais au-devant de graves ennuis. J'avais une amie qui était sortie avec un homme possessif. Lui aussi avait commencé par lui supprimer sa voiture avant d'en venir à la violence... J'ai eu peur. Comment avais-je pu être aveugle à ce point ? Il fallait vraiment que je sois stupide.

— Tu n'étais pas stupide, tu avais donné ta confiance à la mauvaise personne, c'est tout.

Elle le remercia d'un sourire avant de reprendre :

— J'ai fini par chercher un avocat dans l'annuaire, et je l'ai appelé pour lui exposer ma situation. Il m'a donné rendez-vous pour le lendemain même. J'ai attendu qu'Avery se rende à son travail, j'ai appelé un taxi et je me suis rendue à mon rendez-vous.

— As-tu entamé une procédure de divorce ?

— Non, dit-elle en fermant les yeux. J'ai dit à l'avocat que *j'envisageais* le divorce, mais que je préférais réfléchir encore un peu... Grave erreur ! Encore plus grave que celle d'avoir épousé Avery. Toutefois, je voulais être sûre que je n'agissais pas prématurément. Nous étions mariés depuis si peu de temps... Il ne m'avait pas frappée, peut-être redoutais-je des choses qui n'arriveraient jamais. Toujours est-il que je n'ai rien fait d'officiel...

Fixant un point dans le vide, elle enchaîna :

— A mon retour, Avery m'attendait. Il m'a demandé comment s'était passé le rendez-vous avec mon avocat dont il connaissait le nom. Il m'avait fait suivre... J'ignorais qu'il payait un détective pour m'espionner.

— Inutile de me raconter la suite, décréta Cam. Je la connais. La brute t'a frappée et t'a ensuite séquestrée et bourrée de somnifères.

De nouveau, il semblait furieux.

— Oui. Cependant, ce n'est pas tout...

— Très bien. Continue.

— Il était en rage. Il criait, m'insultait. Il hurlait qu'il n'allait pas me laisser divorcer. Que je ne quitterais pas le domicile conjugal. Je lui appartenais, ne cessait-il de répéter. J'étais à lui, j'étais son bien... Cette *traînée* d'Anita avait cru qu'elle pourrait divorcer, mais il lui avait prouvé que non, affirmait-il. Il lui avait appris le respect avant qu'elle ne meure... A cet instant, il a éclaté de rire, et m'a avertie que je devais être vigilante, qu'un accident était si vite arrivé...

— Anita, c'était sa première femme, n'est-ce pas ? interrogea Cam. Celle qui a disparu dans un accident de voiture.

— Exact... Anita, c'est la femme qu'il a assassinée alors qu'elle voulait simplement divorcer, déclara-t-elle d'une voix tremblante.

16.

Interdit, Cam observa Delilah quelques instants sans rien dire. Un flot d'émotions venaient de se succéder en lui... Il y avait d'abord eu la colère contre la jeune femme, puis la douleur liée à sa trahison, et enfin la rage à la découverte de ce que son tyran de mari lui avait fait subir. Il ne mettait pas en doute la véracité du récit ; chaque mot de cette histoire terrifiante sonnait affreusement vrai, et ces ultimes révélations à propos d'Anita sonnaient, hélas, également vrai...

— Comment sais-tu qu'il l'a tuée ? finit-il par demander. T'a-t-il avoué le crime ?

— Non, il n'est pas fou. En réalité, je n'ai aucune preuve véritable, mais j'en ai l'intime conviction. Je *sais* qu'il l'a tuée. Tiens, tu vas comprendre pourquoi...

Fouillant fébrilement dans son sac à dos, elle finit par en extraire un carnet relié qu'elle lui tendit.

— C'est le journal intime de sa première femme. Je l'ai trouvé dans la chambre où il me séquestrait.

Curieux de ce qu'il allait y lire, Cam l'ouvrit. Un poème figurait en première page. Il se mit à feuilleter le carnet, et vit d'autres poèmes en vers entre des paragraphes de texte narratif. Vers la fin, un titre attira son attention : *Rêves brisés*. Il parcourut rapidement quelques lignes du paragraphe puis leva les yeux vers Delilah… Le texte parlait de rêves et de mort, de la mort de l'amour. D'un amour étouffé à petit feu par le comportement de son mari.

— Mon Dieu, comment a-t-il pu… Quel horrible personnage !

— Sa première femme était poète, lui apprit Delilah. Il lui avait promis de l'aider à publier. Elle l'aimait. Elle le croyait. Elle avait vingt-deux ans quand il l'a tuée.

— Je ne sais que penser, avoua-t-il en refermant le journal intime. Ce carnet ne prouve nullement qu'il l'ait assassinée.

— Je te l'accorde. Seulement Avery prétend qu'elle était ivre lorsqu'elle a eu son accident. Or, Anita ne buvait pas… Dans son journal, elle affirme qu'elle était allergique à une substance contenue dans l'alcool. Elle ne pouvait même pas avaler la moindre gorgée de bière sans être malade.

Lui reprenant le carnet des mains, elle le rouvrit.

— Son dernier poème aborde le thème du divorce. Selon moi, elle avait fait part à Avery de sa volonté de divorcer et il l'a tuée car il n'a pas supporté cette éventualité.

— Si tu en es persuadée, pourquoi n'as-tu rien dit à la police ? Tu aurais dû te rendre au commissariat dès l'instant où tu t'es enfuie de chez lui !

— Je ne pouvais pas prendre le risque qu'il me retrouve. En outre, je ne pense pas que cela aurait changé grand-chose. Je t'ai dit qu'il avait des amis dans la police ; il est au-dessus de tout soupçon à leurs yeux. Porter plainte contre lui se serait immanquablement retourné contre moi.

— Comment le sais-tu ?

— Quand j'ai effectué mes recherches sur Internet pour savoir s'il était décédé des suites de sa chute dans l'escalier, j'ai également recherché des informations liées au prétendu accident de sa première femme. Je pensais que j'avais peut-être tiré des conclusions hâtives, et je voulais en avoir le cœur net. J'ai donc trouvé des articles sur l'accident. Tous indiquaient qu'il était dû à une conduite en état d'ivresse.

— Mais Delilah, cela ne...

— Attends, je n'ai pas fini. La voiture a quitté la chaussée et a explosé en bas d'un ravin. Le corps de la victime était si gravement brûlé qu'il était à peine identifiable. Je crois qu'Avery s'est arrangé pour qu'il soit difficile, voire impossible, de savoir à la suite de quelles blessures sa femme avait succombé. N'oublie pas qu'il était violent avec elle, ainsi qu'elle le mentionne dans son carnet.

— Tu as raison, admit soudain Cam. Lorsque l'on additionne tous ces éléments, l'affaire devient effectivement suspecte. C'est pourquoi tu dois absolument te rendre au commissariat de police, Delilah. Tu ne peux pas garder ces soupçons pour toi.

— Je le devrais pourtant, si je tiens à la vie...

— Nous allons raconter tout cela à Maggie. Elle a toute ma confiance. Et la police te protégera.

— Tu vis dans un monde imaginaire, Cam, rétorqua-t-elle avec un petit rire amer. Visiblement, tu ne connais pas les statistiques relatives aux femmes battues. Même si la police accorde foi à mon récit, elle n'est pas en mesure d'assurer une protection totale de ma personne. Or, une fois qu'Avery m'aura retrouvée, rien ne l'empêchera de venir ici et de me tirer dessus en plein jour, si tel est son bon plaisir.

— Et quelle solution proposes-tu ? Veux-tu être une éternelle fugitive ? Vivre dans la crainte perpétuelle qu'il te localise ?

« Etre aliénée pour le restant de tes jours à un tueur et ne jamais pouvoir te déplacer tranquillement, ne jamais pouvoir refaire ta vie ? » poursuivit-il mentalement.

— Est-ce ce genre de vie que tu veux te construire, Delilah ? Réponds-moi ! insista-t-il.

— Au moins, j'aurai une vie, dit-elle d'un ton catégorique en enfouissant sa tête dans ses mains.

Il aurait aimé la serrer contre lui, la consoler. Mais il ne lui avait pas encore pardonné sa trahison ; il en ressentait toujours une vive brûlure. Et pourtant... Il la désirait encore si fort qu'il aurait bradé son âme pour la posséder de nouveau !

Delilah releva soudain la tête vers lui et, plongeant ses beaux yeux bleus remplis de larmes dans les siens, lui demanda d'une petite voix :

— Pourquoi la police prendrait-elle en compte mes accusations ? Pour accuser une personne d'un tel crime — et qui plus est un avocat à la respectabilité inattaquable —, il faut une énergie formidable, une détermination redoutable. Sans parler d'une foi infaillible dans le système. Or, il se trouve que je n'ai rien de tout cela. De plus, je n'ai jamais eu beaucoup de chance avec la police.

— Ce n'est pas la première fois que tu fais ce genre d'allusions, fit-il remarquer d'un air méfiant. De quoi parles-tu exactement ? As-tu déjà été arrêtée ? Condamnée ?

— Après la mort de ma mère, j'étais complètement perdue... Je suis sortie avec un homme plus âgé que moi. Un homme peu fréquentable...

Elle poussa un soupir, puis se força à poursuivre :

— Un jour, il m'a emmenée faire un tour en voiture. Le problème, c'était qu'il s'agissait d'une voiture volée. Bien sûr, il ne s'en est pas vanté. Nous avons été arrêtés et j'ai été accusée de complicité. Ce qui était tout à fait injuste. Finalement, le juge a bien voulu me croire et j'ai été relaxée. Mon casier judiciaire est vierge, car les faits sont survenus alors que j'étais mineure. Il n'empêche... que les flics ne m'aiment pas. J'en veux pour preuve la réaction de ton amie Maggie lors de l'histoire du pick-up.

— Maggie ne connaît pas cette histoire. Et je te répète que c'est un bon policier, Delilah. Elle t'aidera, j'en suis sûr.

— Je ne peux pas, dit-elle d'un ton déterminé.

Elle remit alors le carnet dans son sac à dos qu'elle ajusta sur ses épaules avant de se lever...

— Non ! Tu ne pars pas, décréta-t-il.

— Allons, tu n'as aucune envie que je reste !

— Je ne veux pas avoir ta mort sur la conscience. Si tu continues ta cavale, Dieu sait où elle va te mener. Ici, tu es en sécurité. Alors fais-moi le plaisir d'oublier ton envie de partir afin de nous éviter des ennuis à tous les deux.

— Si je reste, nous ne pouvons pas... Nous ne pouvons pas continuer à...

— A coucher ensemble ? Rassure-toi, ma chérie, tu es la dernière femme avec qui j'ai envie de coucher.

Ce qui était le plus gros mensonge qu'il avait jamais proféré...

Gabe l'attendait au bar. Que lui dire ? Il n'avait pas la force de se disputer avec lui, encore moins d'admettre à quel point il s'était laissé aveugler par Delilah.

— Tu as l'air complètement abattu, lança Gabe.

— Je le suis.

Cam passa derrière le bar, ouvrit une bouteille de whisky et versa une double dose dans deux verres.

— Il est 11 heures du matin, fit remarquer Gabe en regardant l'alcool gicler sur les parois intérieures des verres.

— Et alors ?

Par chance, on était lundi et le Perroquet Rouge était fermé. Il vida son verre d'un trait et se resservit.

— Cela ne te ressemble pas. D'habitude...

Cam l'interrompit par un juron, puis il leva son verre.

— Si tu as l'intention de claironner que tu me l'avais bien dit, vas-y, ne te gêne pas. Mais ne t'étonne pas si tu reçois un coup de poing en pleine figure.

— Frappe-moi si cela peut te soulager, lui dit Gabe en souriant tristement. Tu es complètement fou d'elle, n'est-ce pas ?

Pour toute réponse, Cam avala une nouvelle rasade de whisky. Son frère ne lâchait pas prise. Jamais...

— Il ne s'agit pas d'une simple attirance physique, n'est-ce pas ? poursuivit Gabe, impitoyable.

— Non... Il s'agit de bien plus. Voilà, tu es content ?

— A part le fait qu'elle t'ait menti, où est le problème ?

Tournant un regard étonné vers son frère, Cam laissa alors tomber d'un ton sombre :

— Elle est mariée.

— Ça alors ! fit Gabe, abasourdi par la nouvelle.

Cam laissa échapper un rire amer puis, se resservant du whisky, renchérit :

— Oui, mariée à un sinistre individu, violent et possessif. Et elle ne peut pas divorcer car elle craint qu'il ne la tue s'il la retrouve... Comme il a tué sa première femme.

— Ça alors ! répéta Gabe, les yeux écarquillés. Es-tu certain qu'elle n'a pas inventé toute cette histoire ?

— Sincèrement, je préférerais.

— Mais ce n'est pas le cas.

— Non... Allez ! Dis-moi que je suis le pire des idiots, je crois que cela me fera du bien de l'entendre une bonne fois pour toutes.

— Non, je ne vais pas t'accabler davantage. Et puis je te fais confiance. Si tu la crois, en dépit de son mensonge précédent, c'est que tu as de bonnes raisons de le faire.

— Effectivement... Son tyran de mari a voulu l'étrangler. J'ai vu les marques sur son cou quand elle est arrivée ici, le premier soir... Sans compter les nombreux hématomes.

Le silence retomba entre les deux frères.

Cam commençait à ressentir les effets de l'alcool, mais pas de la façon dont il l'espérait.

— Allons faire un tour en mer, proposa brusquement Gabe. Une bonne partie de pêche te fera du bien.

— Crois-tu que la pêche soit le bon remède ?

— L'air marin te changera au moins les idées.

— Au fond, pourquoi pas ? Tu t'occupes des cannes à pêche et moi, de la bouteille de whisky, d'accord ?

— C'est parti ! répondit Gabe, en donnant une claque dans le dos de son frère.

En désespoir de cause, Delilah demeura au Perroquet Rouge. En partie parce que Cam avait raison : elle était en sécurité ici, sûrement plus que si elle reprenait sa course éperdue. Toutefois, si elle décida de rester, c'était aussi parce que l'idée de ne plus jamais le revoir lui était insupportable. Et elle n'était pas assez forte pour envisager cette perspective. Pas pour l'instant...

Par la fenêtre, elle avait vu Cam partir en compagnie de Gabe et monter dans le pick-up de ce dernier. Le savoir en compagnie de son frère lui avait procuré un vif soulagement. Quelles que soient les idées qui puissent lui passer par la tête, il ne pourrait rien lui arriver. Si Gabe la détestait, il était en revanche évident qu'il aimait son frère et qu'il veillerait sur lui.

Vers 22 heures, alors qu'elle était étendue sur son lit, elle entendit du bruit et se releva pour voir ce qu'il se passait... Le bruit provenait de la cuisine. Dans la pénombre du couloir, elle aperçut Gabe et Cam... Gabe soutenait son frère, tandis que Cam tentait faiblement de le repousser en marmonnant.

— Tais-toi, disait Gabe d'un ton exaspéré.

Préférant ne pas voir la suite de ce pénible spectacle, elle retourna s'enfermer dans sa chambre. Le peu qu'elle avait vu avait suffi à la bouleverser. Cam était ivre à ne plus tenir debout... A cause d'elle...

Elle les entendit trébucher dans le corridor tandis que Gabe le reconduisait à sa chambre. Ils se cognèrent plusieurs fois contre les murs... Puis la porte de la chambre claqua. Au bout de quelques minutes, Gabe en ressortit.

Delilah l'attendait dans le couloir.

— Est-ce qu'il va bien ?

Il la considéra longuement. Si longuement qu'elle crut qu'il n'allait pas lui répondre.

— Non, il ne va pas bien du tout, dit-il enfin. Il est dans un état lamentable. Je l'ai mis au lit... Il devrait dormir jusqu'à demain midi.

— Il a trop bu, n'est-ce pas ?

— A votre avis ? fit Gabe dans un rire sarcastique. Il s'est noyé dans l'alcool pour tenter de vous oublier... Dites-moi, Delilah, est-ce réjouissant de savoir qu'un homme s'est enivré à cause de vous ? Vous avez fait du beau travail, vous savez !

Plissant les yeux, il la fixa aussi intensément que durement avant d'ajouter :

— Cam ne s'enivre jamais. C'est la première fois que je le vois se mettre dans un état pareil.

— Je suis désolée, murmura-t-elle d'une voix tremblante.

Sa gorge était serrée et elle retenait désespérément ses larmes pour ne pas se donner en spectacle devant Gabe.

— Attendez... Je me trompe, reprit ce dernier dans un sourire cynique. Je l'ai déjà vu ivre, une fois... Pas aussi sévèrement, cependant. C'était le jour où il a surpris sa fiancée au lit avec un autre homme.

Que répondre ? Gabe avait beau jeu de la harceler avec ses sous-entendus à présent, lui qui, dès le début, s'était méfié d'elle et avait mis son frère en garde.

— Cam vous a raconté mon histoire, n'est-ce pas ? demanda-t-elle en se faisant violence pour ne pas courir s'enfermer dans sa chambre.

— Oui, il avait besoin de parler. De s'ouvrir à quelqu'un digne de sa *confiance*, répliqua-t-il en martelant le dernier terme, pour bien enfoncer le clou.

Comme elle ne répondait pas, il en profita pour continuer, d'une voix qui, à chaque mot, devenait plus accusatrice et plus dure :

— Pourquoi lui avez-vous fait subir un tel affront ? Est-ce une façon toute personnelle de le remercier pour les services qu'il vous a rendus ? Il vous aurait aidé, quel qu'ait été votre problème. Vous n'aviez pas besoin de coucher avec lui pour obtenir son soutien.

— Je n'ai pas...

— Et vous le saviez parfaitement ! l'interrompit-il sans ménagement. Impossible de travailler plus de deux jours chez lui sans s'apercevoir que Cam est toujours prêt à voler au secours de la veuve et de l'orphelin. Il suffit d'écouter les groupes sans talent qu'il laisse jouer au Perroquet Rouge « pour leur donner une chance », selon ses propres termes ! Lui avez-vous fait tourner la tête par caprice ? Ou bien parce que vous n'avez rien trouvé de plus excitant à...

— Assez !

Elle aurait voulu se boucher les oreilles pour ne plus entendre les paroles cinglantes de Gabe. Mais il était trop tard. Elles avaient déjà pénétré dans son cerveau, dans son cœur, et renforcé l'horrible culpabilité qu'elle ressentait envers Cam pour lui avoir menti. Elle avait menti au seul homme qui ne le méritait pas. Au seul homme valable qu'elle avait rencontré dans sa vie. Au plus formidable...

— Bon sang ! Pourquoi avez-vous agi de cette façon ? rugit encore Gabe qui ne lâchait pas facilement prise.

— Parce que je l'aime ! s'écria-t-elle d'une voix brisée de larmes contenues.

Gabe la fixait à présent de façon étrange. A l'évidence, son aveu l'avait touché.

— Je l'aime, répéta-t-elle plus calmement. C'est pour cela que j'ai couché avec lui. Uniquement pour cela.

Elle était épuisée, à bout de forces...

— Allez-vous-en ! ajouta-t-elle en le regardant durement.

— Del...

Elle ne le laissa pas prononcer son prénom en entier et lui claqua violemment la porte de sa chambre au nez.

17.

Les jours suivants furent un véritable supplice.

Cam la traitait de façon distante et impersonnelle, ne répétant jamais deux fois la même chose, même quand elle n'avait pas compris ce qu'il lui avait dit. Il s'efforçait manifestement de la considérer comme une employée parmi les autres, mais ni l'un ni l'autre n'étaient dupes du manège.

De son côté, chaque fois qu'il posait son regard sur Delilah, Cam se rappelait leurs baisers ardents, leurs étreintes enfiévrées... Puis le mensonge de celle-ci lui revenait à la mémoire, tel un coup de fouet, et il se mettait à la maudire en silence.

Chaque soir, étendu dans le noir, il fantasmait sur elle. Chaque matin, après des rêves aussi agités qu'érotiques, il se réveillait en brûlant de désir pour elle. Un désir douloureux... Si, avant de lui faire l'amour, il avait cru vivre le martyre, ce n'était rien en comparaison de ce qu'il endurait actuellement.

Une question obsédante le tourmentait : pouvait-il réellement lui en vouloir pour son mensonge ? Sa terreur absolue à l'idée qu'Avery Freeman puisse la retrouver et sa certitude qu'alors il la tuerait, ne constituaient-elles pas des circonstances atténuantes ?

Non il n'était pas en droit de la blâmer pour son mensonge initial. Après tout, personne ne se confiait d'emblée à un inconnu. Mais ensuite, quand elle avait commencé à mieux le connaître... Ensuite, il en revenait toujours à la même conclusion : elle ne lui avait pas suffisamment fait confiance pour lui avouer la vérité. Et, quand elle était passée aux aveux, il était trop tard.

Et le résultat de ces réflexions qui occupaient une partie de ses nuits et de ses journées était déplorable. Il rudoyait son personnel, adoptait un ton cassant envers les clients. Quant à sa famille, mis à part Gabe, il l'évitait soigneusement.

Intriguée par le comportement étrange de Cam, Cat envoya Mark, son mari, en éclaireur.

Il était 14 heures et le Perroquet Rouge était vide. Cam était seul. D'un air résigné, il posa un dessous-de-verre sur le comptoir, devant Mark.

— La même chose que d'habitude ?

Mark secoua la tête. Son beau-frère lui offrait toujours ses consommations. Il n'en abusait pas, bien entendu, mais une ou deux fois par semaine, il venait lui rendre une visite en fin de soirée et sirotait une bière à la santé du patron.

— Non, je n'ai pas fini ma journée. Je préférerais un thé glacé.

— Comme tu voudras, dit Cam en lui servant ce qu'il demandait.

Mark et Cam n'avaient pas toujours été les grands amis qu'ils étaient aujourd'hui. Avant le mariage de sa sœur, Cam nourrissait de grandes réserves à l'égard de son futur beau-frère. A présent, ils riaient ensemble de ces préjugés passés. Mais aujourd'hui, Cam n'était absolument pas d'humeur à rire. D'autant qu'il se doutait bien que cette visite n'était pas une simple visite de courtoisie. Non, Mark était là dans un but précis, but que Cam devinait aisément.

— Et que me vaut l'honneur de ta visite ?

— Eh bien, voilà ! commença Mark en avalant une gorgée de thé glacé. Cela fait trois jours que Cat et Gail essaient de soutirer des informations à Gabe, mais ce dernier s'obstine résolument dans son silence. Or, comme il n'est pas réputé pour sa discrétion, tes sœurs se posent les questions les plus folles, comme tu peux l'imaginer. Aussi Cat a-t-elle fini par m'envoyer chez toi pour t'interroger. Je suis donc censé procéder de manière subtile et découvrir, sans que tu aies l'impression de subir un interrogatoire, ce qu'il se passe en ce moment entre Delilah et toi...

Relevant lentement un coin de sa bouche, il ajouta d'un air complice :

— Or, tu me connais, je ne suis pas très subtil.

Cam sourcilla. La dernière chose qu'il souhaitait à l'heure actuelle, c'était l'intervention de ses sœurs dans sa vie privée. Il aurait pourtant dû se douter qu'elles ne le laisseraient pas en paix...

— Tout va bien, grommela-t-il. Cat ferait mieux de se mêler de ce qui la regarde. Et pourquoi faut-il qu'elle te charge du sale boulot ?

Levant les yeux au ciel, Mark répondit, philosophe :

— Si tu étais marié, tu ne me poserais pas une question si naïve... Allons, Cam, réfléchis un peu ! Elle pense que tu te confieras plus facilement à moi car je suis un homme et que nous ne sommes pas liés par le sang. Et si tu refuses de coopérer, elle va me faire une scène quand je rentrerai à la maison, ajouta-t-il en grimaçant.

— Ça, c'est ton problème, mon vieux, pas le mien.

— On raconte que tu es fou de Delilah, mais qu'en ce moment il y a de l'orage dans l'air entre vous.

— On raconte souvent n'importe quoi ! répliqua furieusement Cam. Je parie que c'est Martha qui...

Mark éclata de rire.

— Cam, sois réaliste ! Bien sûr que Martha n'a pas pu tenir sa langue. Tu la connais tout de même ! Tu ne t'imaginais pas qu'elle allait faire preuve de discrétion.

S'il avait eu le moindre bon sens, il aurait dû renvoyer Martha, pensa Cam, d'autant plus furieux qu'il savait qu'il n'en ferait rien.

— Laisse-moi tranquille, Mark, soupira-t-il d'un ton las. Je n'ai pas envie d'aborder ce sujet.

Mark considéra Cam attentivement quelques secondes.

— Alors tout va bien ?

— Oui, tout va très bien, affirma Cam.

Aucun des deux n'était dupe du mensonge. Pourtant, le débat était clos. Cam resservit du thé à Mark et les deux amis se mirent à commenter le dernier match de base-ball que l'équipe locale avait disputé.

Alors qu'ils soupesaient les chances que l'équipe avait de l'emporter lors du prochain tournoi, un client entra au Perroquet Rouge.

Mark jeta un coup d'œil vers lui et marmonna, étonné :

— Je me demande bien ce qu'il fait là, celui-là.

Cam regarda à son tour dans la direction de l'inconnu. De haute stature, il avait les cheveux noir corbeau et les yeux aussi sombres que perçants. Cam sentit son estomac se contracter... Instinctivement, il comprit qu'un oiseau de mauvais augure venait de pénétrer dans son établissement.

— Qui est-ce ? demanda-t-il à Mark.

— Un détective de Houston. Sais-tu ce qu'il vient faire ici ?

— Je l'ignore, répondit Cam, soudain inquiet.

Un détective de Houston... Cela ne pouvait pas être une coïncidence...

Mark se tourna alors vers l'homme aux yeux perçants et lança :

— Salut, Waxman ! Quel bon vent t'amène dans ce petit coin paradisiaque de l'Amérique ?

— Le boulot, répondit le dénommé Waxman en s'avançant pour lui serrer la main. Mais je prendrais volontiers une bière pression bien fraîche.

Cam tendit le bras pour attraper une chope. Cet individu était des plus déplaisants, pensa-t-il avec dégoût. Mais un sombre pressentiment le poussa à rester correct avec son client, déplaisant ou non.

Coudes sur le comptoir, le nouveau venu reprit à l'intention de Mark :

— J'avais entendu dire que tu avais déménagé dans un trou perdu de notre cher Etat, dit-il en balayant la salle d'un regard méprisant. J'ignorais qu'il s'agissait d'Aransas City.

Un trou perdu ! Cam résista de justesse à l'envie de lui envoyer son poing dans la figure.

— Eh oui, fit Mark en ravalant lui aussi son agacement. Le mariage, les enfants, bref, l'amour d'une femme, m'a conduit dans cette charmante bourgade. Tu sais ce que c'est, j'imagine.

— Non, et je m'en porte bien mieux, répliqua Waxman dans un rire sec. Comment vas-tu depuis le temps que nous ne nous sommes vus ?

— Je ne me plains pas, la vie va plutôt bien pour

moi. A quand remonte notre dernière rencontre ? C'était à propos de cette histoire de chiens volés à Dallas, il me semble. Cela fait bien six ou sept ans.

— A peu près, oui.

— Toujours détective ?

Waxman opina du chef et but un peu de bière.

— C'est un métier qui rapporte, pourquoi en changerais-je ?

— Et qu'est-ce qui t'amène par ici ?

— Je recherche cette personne..., laissa négligemment tomber le détective en posant une photo sur le comptoir. Avez-vous déjà vu cette femme quelque part ?

Mark jeta un bref coup d'œil à Cam puis, s'emparant de la photo, déclara :

— Beau brin de femme. Elle n'a, hélas, jamais croisé ma route.

Il tendit la photo à Cam qui avait compris de qui il s'agissait avant même que le détective ait fourré sa main dans sa poche. A son tour, il examina la photo... C'était la première fois qu'il voyait Delilah sous ce jour-là : sophistiquée, élégante et aussi sexy que le péché dans sa robe de soirée noire et moulante qui découvrait largement ses cuisses. Un collier de diamants étincelait à son cou tandis que des pendentifs assortis ornaient le lobe délicat de ses oreilles.

— Désolé, dit-il à son tour en redonnant la photo à Waxman. Qui est-ce ?

— Anne St John Freeman. Mais je suppose qu'elle a adopté une nouvelle identité. Son mari se fait un sang d'encre à son sujet, l'informa le détective en avalant une gorgée de bière. Elle a disparu depuis quelques semaines. Il est persuadé qu'elle n'est pas partie de son propre chef. Selon lui, il lui est arrivé malheur : un accident, un rapt... Ou pire encore. Il a averti la police le lendemain de sa disparition, mais leurs recherches, jusque-là, n'ont pas abouti. Voilà pourquoi il s'est finalement adressé à moi.

Waxman remit la photo dans sa poche et poursuivit en riant :

— Mais à mon avis, il ferait mieux de chercher du côté des comptes en banque bien fournis. Une femme belle et sexy comme Anne Freeman doit savoir y faire... Et en général, c'est celui qui a le portefeuille le mieux rempli qui l'emporte. D'autant que la donzelle semble affectionner les hommes respectables et bien plus âgés qu'elle.

Cam sentit le sang bourdonner à ses oreilles et se retint de nouveau de ne pas jeter Waxman hors de son bar. Mais il s'abstint de tout commentaire, priant pour que Delilah ne sorte pas inopinément du bureau où elle effectuait des travaux de comptabilité. Si seulement il avait pu quitter la salle pour aller l'avertir... Mais il ne voulait pas éveiller le moindre soupçon chez Waxman ; cet homme au regard perçant lui donnait presque la chair de poule. Machinalement, il se mit à astiquer le comptoir, invoquant tous les dieux de la création pour que le détective ne s'attarde pas.

— As-tu une raison particulière de venir à Aransas City pour la retrouver ? interrogea Mark.

— Des indices m'ont fait comprendre qu'elle avait pris la direction du Sud. Le problème, c'est qu'il y a des quantités de bleds pourris sur cette fichue côte.

— Surveille ton vocabulaire ! lui ordonna Mark, perdant soudain sa bonne humeur. Je te rappelle que j'habite ici.

— Désolé... Bon, ce n'est pas que je m'ennuie en votre

compagnie, mais comme vous le savez, le temps, c'est de l'argent. Si je ne la retrouve pas, je n'aurai pas de bonus, déclara Waxman en tapant sur l'épaule de Mark.

Finissant rapidement sa bière, il sortit quelques dollars de sa poche et les posa sur le comptoir, ainsi que sa carte de visite.

— Voici mes coordonnées, au cas où elle passerait par ici. Il y a également mon téléphone portable, précisa-t-il. Fais-moi signe, Mark, si jamais tu passes par Houston. Messieurs...

Il effectua un vague salut et sortit.

Cam attendit qu'il eût refermé la porte et descendu les escaliers pour demander à Mark :

— Pourquoi n'as-tu rien dit ?

— Delilah m'est très sympathique, ce qui n'est pas le cas de Waxman, lui répondit son beau-frère. Et j'ai pensé qu'il était préférable de ne rien lui révéler.

Il attendit quelques secondes et, devant le silence obstiné de Cam, reprit :

— Elle est donc mariée ?

— Oui, soupira Cam, et elle redoute que son mari ne la tue s'il la retrouve. C'est un homme violent qui l'a déjà battue et séquestrée.

— Pourquoi ne va-t-elle pas faire part de ses craintes à la police ?

— C'est une longue histoire, soupira Cam. Bon, il faut que j'aille l'avertir qu'un détective est à ses trousses.

Avant de quitter le bar, il se retourna une dernière fois vers Mark et ajouta :

— Merci pour ta discrétion.

Quand Delilah l'entendit entrer dans le bureau, elle leva immédiatement les yeux vers lui. Dans la mesure où il l'évitait le plus possible, elle était surprise de sa visite. Elle tressaillit lorsqu'elle découvrit l'expression de son visage.

— Cam ! s'écria-t-elle en se précipitant vers lui. Que se passe-t-il ?

— Un détective privé vient de sortir d'ici. Il est à ta recherche. C'est Freeman qui l'envoie.

A ces mots, elle devint blême et, vacillante, s'agrippa au bras de Cam. Il sentit ses ongles s'enfoncer dans sa chair...

— Un détective ? Au Perroquet Rouge ? Que lui as-tu dit ? Oh, mon Dieu ! Sait-il que je suis ici ?

— Pour qui me prends-tu ? Bien sûr que non ! Je ne lui ai rien dit. Mark non plus d'ailleurs. Et il n'y avait que nous deux, dans la salle.

Lâchant le bras de Cam, Delilah se mit à faire les cent pas dans la pièce, incapable de tenir en place, le visage décomposé par la peur.

— Je savais que cela finirait par arriver, gémit-elle sur un ton désespéré.

Elle plaqua alors sa main sur sa bouche. Une main qui tremblait violemment...

— Il va me retrouver ! s'écria-t-elle en se précipitant vers la porte.

— Delilah, attends !

Il la saisit par le bras pour l'empêcher de sortir.

— Tu es en sécurité ici, lui assura-t-il. Le détective ignore que je t'héberge. Il n'a donc aucune raison de revenir.

En état de choc, elle était incapable d'ordonner ses

pensées ; elle n'était qu'une boule d'angoisse. Il ne fallait pourtant pas agir sur un coup de tête.

— Tu ne te rends pas compte ! finit-elle par lui reprocher. Si un détective rôde dans les environs, il finira tôt ou tard par retrouver ma trace. C'est juste une question de temps… Que se passera-t-il s'il interroge les autres habitants d'Aransas City ? Tes clients ? Il faut que je parte sans tarder ! Je ne peux pas rester là à attendre qu'Avery vienne me tuer !

Se dégageant vivement de son étreinte, elle s'élança comme une furie vers la porte. Sur le palier, elle bouscula violemment quelqu'un sans le voir. La personne exprima son mécontentement par un juron et l'attrapa vivement par le bras. Elle leva alors les yeux pour se heurter au regard de Gabe…

— Lâchez-moi ! lui ordonna-t-elle en se débattant.

— Qu'est-ce qui vous prend ? demanda Gabe en la maintenant fermement. Vous vous êtes précipitée hors du bureau comme si vous aviez le diable à vos trousses.

Il ne croyait pas si bien dire…

— Lâchez-moi ! répéta-t-elle. Je dois impérativement m'en aller !

Comme il ne la relâchait toujours pas, elle lui donna un coup de poing dans la poitrine.

Gabe demeura impassible.

— Laisse-la, Gabe, intervint Cam d'une voix calme.

Ce dernier regarda son frère sans comprendre avant d'obéir.

Delilah gravit alors à toute allure l'escalier qui menait à l'appartement.

— Que se passe-t-il encore ? s'étonna Gabe d'un ton accablé.

— Je viens de lui annoncer qu'un détective la recherche. Il est venu au Perroquet Rouge. Il n'y avait que Mark et moi dans la salle. Il nous a montré une photo de Delilah et nous a demandé si on la connaissait. On a répondu par la négative et il est reparti. Il n'empêche que Delilah est complètement terrorisée.

— Oui, j'ai vu ! Sait-il quelque chose ?

— Non. Il mène l'enquête dans toutes les bourgades de la côte. Elle est en sécurité ici, pour l'instant.

— Tu ferais mieux de l'en convaincre rapidement, car je crains qu'elle ne partage pas ton avis.

— C'est ce que j'ai l'intention de faire, répondit Cam en se dirigeant vers l'escalier.

— Une seconde ! l'arrêta Gabe. Je vous ai bien observés, tous les deux, ces derniers jours. Je n'ai jamais vu deux personnes aussi malheureuses...

— Je n'ai pas le temps d'écouter tes sornettes, trancha Cam.

— Tu es fou amoureux d'elle.

— Et alors ? Elle m'a menti et...

— O.K., elle t'a menti, c'est indéniable, l'interrompit Gabe. Te rappelles-tu le jour où tu t'es enivré ?

— Je me souviens surtout du lendemain et de ma terrible gueule de bois. Sinon, tout est flou.

— J'ai parlé avec elle ce soir-là, après t'avoir mis au lit. J'avais beaucoup bu moi aussi et, en la voyant, je me suis violemment emporté contre elle... Je lui ai notamment demandé pourquoi elle t'avait menti de façon si perfide, alors qu'elle savait que tu l'aurais aidée même en connaissant la vérité au sujet de son mariage. Sa réponse m'a désarmé : elle m'a dit qu'elle t'aimait.

— Et tu l'as crue ? Toi qui as toujours eu le sentiment qu'elle allait me causer des ennuis ?

Gabe haussa les épaules.

— Il n'y a que les imbéciles qui ne changent pas d'avis, bougonna-t-il. D'ailleurs, mon pressentiment était exact, non ? Toujours est-il que ce soir-là, mon intuition *infaillible* m'a dit qu'elle ne mentait pas. Elle t'aime réellement, Cam. J'en suis sûr.

— Et alors ? Elle peut bien m'aimer, cela ne change rien. Elle est terrorisée et, au moindre problème, prête à reprendre sa cavale.

— Si j'étais toi, j'essaierais de la convaincre par tous les moyens d'aller au commissariat.

Gabe avait raison ! pensa subitement Cam. Il n'avait pas plaidé avec assez de conviction jusque-là : il s'était contenté de protester faiblement et de respecter le souhait de Delilah. Or, peut-être que le choc qu'elle venait de subir la ferait changer d'avis si, de son côté, il savait se montrer suffisamment persuasif.

— Peux-tu t'occuper du restaurant ? demanda-t-il brusquement. Martha ne va pas tarder à arriver. Elle t'expliquera ce qu'il faut faire.

— Mais je ne sais pas tenir un bar ! En plus, je déteste ça !

— Allons, crois en toi ! Tu vas y arriver, l'encouragea son frère.

— Très bien, j'accepte. Mais c'est à charge de revanche, le prévint-il.

— Je te dédommagerai au centuple, lui promit Cam.

18.

Quand elle pénétra dans sa chambre, Delilah tremblait de tous ses membres. Des tremblements irrépressibles... Elle dut s'asseoir sur le lit et attendre qu'ils passent.

Au fond, la nouvelle ne l'avait pas surprise. Elle avait toujours été convaincue qu'Avery recourrait aux services d'un détective privé. Mais elle avait prié si fort pour qu'il ne la retrouve pas... Et voilà qu'il était venu la traquer dans cette petite bourgade perdue, aux confins du Texas ! C'était véritablement un grand malade !

Mais il ne l'avait pas retrouvée, se rassura-t-elle. Pas encore ! Certes, il s'en était fallu d'un cheveu. Il aurait suffi qu'elle entre dans le bar alors que le détective s'y trouvait encore.

A cette pensée, elle se leva précipitamment et ouvrit le placard d'où elle sortit son sac à dos. Puis elle vérifia le contenu de son portefeuille... Hélas, elle ne mit pas longtemps à compter l'argent qu'elle possédait... C'était tout de même plus que lors de sa dernière fuite, pensa-t-elle pour se consoler. Elle pourrait tenir pendant quelques semaines, le temps de trouver un autre emploi, dans une autre ville.

Loin de Cam...

Elle ne devait pas penser à lui, sinon elle n'aurait

pas le courage de partir. Or, il était grand temps qu'elle s'en aille. Rassemblant rapidement ses effets personnels éparpillés dans la pièce, Delilah les enfouit en vrac dans son sac.

— Que fais-tu ? lui demanda Cam du seuil de la porte.

Le cœur battant, elle leva les yeux vers lui et le fixa pendant quelques secondes, afin de bien graver dans sa mémoire ce visage qu'elle ne verrait bientôt plus.

— Je m'en vais, lui répondit-elle enfin.

— Encore ? C'est une manie, chez toi, lança-t-il d'un ton moqueur où perçait néanmoins une note de tendresse. Ecoute Delilah, sois raisonnable ! ajouta-t-il plus sérieusement. Le détective est reparti et il ne reviendra pas de sitôt. Il n'a aucune raison de penser que tu es ici. Crois-moi ! Tu es en sécurité au Perroquet Rouge. Tu ne le seras pas plus si tu te réfugies ailleurs, bien au contraire.

— Je ne pars pas uniquement à cause du détective...

Reposant son sac à dos, elle plongea ses yeux dans ceux de Cam.

— Je n'y arrive plus, Cam. J'ai cru pouvoir tenir, mais la situation est insupportable. Je n'en peux plus de te croiser chaque jour et de lire l'hostilité et la rancune sur ton visage. Même si je sais que j'ai mérité ton mépris.

— Je ne te suis pas hostile, lui assura-t-il. Et je n'éprouve aucun mépris envers toi.

— Je t'ai menti, lui rappela-t-elle.

— Je m'en moque éperdument !

Il se tenait à quelques centimètres d'elle et la regardait intensément... Sur une impulsion, il prit le visage de Delilah entre ses paumes et murmura :

— La seule chose qui compte, c'est cela...

Il effleura d'abord ses lèvres d'une légère caresse, puis prit possession de sa bouche avec passion. De son côté, elle noua ses bras autour de son cou, incapable de résister à la fougue de ce baiser...

— Reste, murmura-t-il en la serrant étroitement contre lui. Reste avec moi, Delilah...

Le cœur de la jeune femme battait une chamade infernale dans sa poitrine. Elle avait, à cet instant précis, la terrible impression que sa vie allait se jouer à pile ou face, presque malgré elle.

— C'est impossible, Cam. Même si c'est mon vœu le plus cher. Même si je n'ai jamais rien désiré avec autant de force auparavant.

— Je t'aime, Delilah.

Il l'aimait... Sa résistance s'effondra d'un coup. Elle était perdue. Le regard intense de Cam, ses bras réconfortants, le son de sa voix, tout contribuait à sa perte...

De nouveau, il l'embrassa avec fièvre. Elle sentait son pouls battre à cent à l'heure tandis qu'il la pressait contre lui, modelait son corps... Les mains de Cam s'égarèrent alors sur sa poitrine, la caressant avec ardeur à travers son T-shirt...

Elle ne parvenait plus à penser, ni à respirer. Elle n'était que désir, besoin impétueux qu'elle avait de lui. Ce besoin de l'aimer...

Cam la plaqua contre le mur et fit glisser une jambe entre ses cuisses. Elle crut qu'elle allait s'évanouir... Il l'embrassait toujours, et sa langue mimait avec une précision brûlante la danse de l'amour. Elle se cambrait, s'agrippait à lui, se pressait contre lui…

Soudain, il s'écarta d'elle. Elle poussa un petit gémissement et ferma les yeux. Son contact lui manquait déjà… Ce fut alors qu'elle sentit les mains de son amant se poser sur la ceinture de son jean. Le pantalon glissa bientôt le long de ses jambes. Se débarrassant de ses chaussures, elle fit voltiger le tout dans un coin de la chambre…

Grisé, Cam la souleva de terre. Et quand elle enroula ses jambes autour de lui, elle sentit la plénitude et la force de son désir, tout contre son intimité…

Leurs caresses se firent plus ardentes, leurs baisers plus enflammés… Bientôt, Cam la reposa à terre et, d'une main fébrile, elle voulut à son tour dégrafer son pantalon. Mais elle était bien trop impatiente pour y parvenir. Repoussant gentiment ses doigts nerveux, il s'en chargea lui-même. Comment allait-il faire pour tenir encore un peu ? se demanda-t-il avec angoisse. La soulevant de nouveau de terre, il la plaqua contre le mur et, cette fois, se noya en elle avec une ardeur désespérée…

Le mini-choc exquis qu'elle ressentit alors déclencha en elle les premières ondes du plaisir. Puis il se mit à lui glisser à l'oreille de délicieux mots d'amour, tout en chaloupant contre elle sans relâche… Soudain, il pencha la tête pour se saisir d'un de ses seins qu'il palpa à travers l'étoffe, arrachant à Delilah un gémissement rauque qui décupla son plaisir.

Lorsqu'il releva la tête, son regard se coula dans celui de la jeune femme avec une intensité quasi insoutenable. Il donna un ultime coup de reins et elle cria son nom dans l'abandon de la volupté... Il l'y rejoignit sans attendre.

Ils étaient étendus sur le lit, entièrement nus. Cam avait bien conscience qu'il aurait dû se rhabiller et aller travailler, mais il n'en avait aucune envie. Martha et Gabe pouvaient parfaitement s'occuper du Perroquet Rouge pendant un petit moment encore. Pour sa part, il n'avait qu'une idée en tête : refaire l'amour à Delilah. Il tourna la tête vers elle... La jeune femme le considérait avec gravité.

Roulant sur le côté, il se souleva sur un coude. Puis il retraça d'un doigt la courbe de ses seins, non sans en admirer la couleur nacrée et la forme parfaite. Ils étaient d'une beauté émouvante. Il baissa les yeux vers son ventre plat et ferme. Nul doute qu'il se gonflerait de façon adorable si elle attendait un enfant. Son enfant...

— Nous n'avons pas utilisé de préservatif ! s'écria-t-il brusquement. Et si tu tombes enceinte ?

— Ne t'inquiète pas. Je prends la pilule.

Devant son visage soucieux, elle poursuivit en souriant :

— Tu n'as rien à craindre. Avery et moi avons fait un test avant de nous marier. Je suis parfaitement saine et...

A l'évocation de cet époux détesté, son visage s'assombrit et son regard se voila.

— Delilah, murmura Cam, regarde-moi. Quand je te dis que je t'aime, il faut que tu me croies. Je veux t'épouser.

Elle demeura silencieuse quelques secondes.

— Si je demande le divorce, il me retrouvera. Peut-être pas tout de suite, ni dans un mois, mais un jour ou l'autre, c'est certain. Et puis on ne divorce pas par correspondance. Et l'idée de le revoir me terrorise.

— Je sais, admit-il. Seulement demander le divorce est le seul moyen de te libérer de lui.

Il aurait voulu la rassurer, lui promettre qu'il la protégerait, lui certifier qu'elle n'avait rien à craindre. Malheureusement, tout comme elle, il savait bien que cela n'était pas aussi simple dans la réalité. En outre, c'était à Delilah qu'il revenait de prendre une décision.

Elle le scrutait avec intensité, tendue. Et soudain, elle lui sourit... Un sourire magique, comme le soleil après la pluie.

— Je t'aime, Cam. Et nous nous marierons un jour.

Sans un mot, il l'attira contre lui...

Un long moment — très long moment plus tard — alors que Delilah était en train de se rhabiller, elle demanda d'un air soucieux à Cam :

— Peux-tu confier la direction du Perroquet Rouge à Martha et Gabe pour une heure encore ?

Il était toujours étendu sur le lit et l'observait, un beau sourire aux lèvres. Elle ne put s'empêcher de lui rendre son sourire.

— Oui, répondit-il. Pourquoi ?

— Je voudrais que tu me conduises au commissariat de police afin que je parle à Maggie.

— En es-tu bien certaine ?

— Il n'y a plus aucune raison d'hésiter puisque je vais demander le divorce. De toute façon, tôt ou tard,

Avery saura où je me trouve. Je préfère donc prendre les devants et aller signaler les faits à la police.

— Vas-tu porter plainte contre lui ?

— Oui, et je vais également confier à Maggie mes soupçons concernant sa première femme. Même si rien ne peut être prouvé, j'aurais au moins essayé. Moi, j'ai eu la chance de lui échapper, elle non. Je voudrais, pour sa mémoire, que la vérité soit rétablie.

— J'approuve entièrement ta démarche, dit-il tout en se levant pour déposer un baiser sur son front. La police va t'aider et te protéger de lui. Et moi aussi, bien sûr.

Cam accordait bien plus de crédit à la police qu'elle-même, pensa Delilah en se gardant toutefois d'émettre le moindre commentaire. Quelle importance ? Par amour pour Cam et au nom de la vie heureuse qu'un jour ils mèneraient peut-être, elle acceptait de prendre le risque de se rendre au commissariat.

Une demi-heure plus tard, ils attendaient que Maggie vienne s'occuper d'eux. Au bout de dix minutes, elle les reçut enfin dans son bureau. Elle paraissait en forme et tout à fait sûre d'elle. Elle adressa un bref sourire à Cam avant de scruter Delilah de son fameux « regard de flic ». Elle ne paraissait pas particulièrement ravie de la voir, mais Delilah avait d'autres préoccupations en tête.

Après les avoir salués, elle les invita à prendre place.

— Désolée de vous avoir fait attendre, dit-elle en guise d'introduction. Une vache était arrivée en centre-ville et nous n'arrivions pas à joindre son propriétaire.

Un sourire éclaira le visage de Cam.

— La vache de M. Eibert, je parie !

— Qui d'autre aurait-ce bien pu être ? demanda Maggie en lui rendant son sourire.

Delilah fut frappée par la façon dont ce sourire la transformait. Elle semblait soudain douce et féminine. Et n'avait plus rien du policier qu'elle incarnait.

— Que puis-je faire pour vous ? enchaîna Maggie. Tu ne m'as pas annoncé l'objet de votre visite lors de ton appel, Cam.

Comme ni ce dernier ni Delilah ne prenaient la parole, elle ajouta :

— Nous allons changer de bureau, car j'ai l'impression que vous voulez faire une déposition. Mon collègue la tapera au fur et à mesure.

Ils passèrent dans une autre pièce, saluèrent le policier présent et prirent place autour du bureau.

Ne voyant aucune raison de tourner plus longtemps autour du pot, Delilah se lança :

— Je veux porter plainte contre mon mari. Pour violence physique et séquestration.

Maggie resta impassible.

— La juridiction sur la famille en vigueur au Texas vous confère des droits. Si le juge estime que la plainte est justifiée, votre mari sera arrêté.

Prenant un formulaire et un stylo, elle reprit alors :

— Courez-vous un danger immédiat ?

— Elle en courra un quand il l'aura retrouvée, répondit Cam. Et elle craint qu'il ne parvienne à la localiser une fois qu'elle aura déposé une plainte contre lui.

— Dans ces conditions, vous devez demander une ordonnance restrictive. Si vous avez entamé une procédure de divorce…

— Je n'en ai pas entamé, la coupa Delilah. Je suis allée voir un avocat, mais je n'ai finalement pas fait de demande. Mon... mon mari l'a appris. C'est ce qui a...

Elle s'interrompit, découragée par le regard pénétrant de Maggie. Puisant dans ses ressources, elle poursuivit :

— C'est là qu'il a commencé à me frapper. Dès que j'aurai trouvé un avocat dans la région, je demanderai le divorce.

— Je vais tenter d'obtenir une ordonnance restrictive provisoire, déclara Maggie.

— Ce qui veut dire qu'il sera interdit de séjour par ici ?

— Exact. S'il transgresse l'ordonnance, je pourrai l'appréhender immédiatement.

Elle écrivit quelques mots sur son formulaire, puis enchaîna :

— Cette ordonnance est valable deux semaines. Dès que vous aurez demandé le divorce, votre avocat vous fera obtenir une nouvelle ordonnance. Permanente, celle-ci.

Maggie fit une pause, puis ajouta :

— Avez-vous envisagé de vous rendre dans un centre agréé pour femmes battues ? Je peux vous fournir une liste des...

— Non ! Je ne veux pas aller dans ce genre d'endroit, s'écria Delilah. J'avais une amie qui vivait avec un homme violent. Elle s'est réfugiée dans un de ces centres. Elle est morte aujourd'hui. Son petit ami avait localisé le centre, puis l'avait attendue à la station de bus la plus proche pour la tuer.

Maggie garda le silence quelques secondes et parut réfléchir.

— Je suis désolée pour ce qui est arrivé à votre amie.

Néanmoins, c'est un fait exceptionnel, car ces centres sont des lieux sûrs.

— Il me retrouvera, que je sois ou non dans un centre ! C'est pour cette raison que je n'ai pas porté plainte contre lui avant. Pour que mon nom ne figure dans aucun rapport de police, ni aucun registre, et qu'il ne puisse pas se lancer à mes trousses.

Et la jeune femme avait tenu bon. Mais son amour pour Cam avait renversé la donne. Afin de reprendre une vie normale, elle devait cesser de fuir tout en s'exposant au risque qu'Avery découvre où elle se cachait et vienne la retrouver. L'idée de revoir son visage odieux et d'entendre sa voix lui donna brusquement la nausée et elle frissonna.

— Tout ce que je peux vous certifier, c'est que nous ferons de notre mieux pour obtenir l'ordonnance restrictive au plus vite et pour assurer votre protection, déclara Maggie avec froideur.

Nul doute qu'elle l'avait offensée en laissant entendre qu'elle se méfiait de la protection de la police, pensa Delilah, mal à l'aise.

— Ce n'était pas une critique de la police, Maggie, intervint alors Cam. Quand tu auras entendu l'histoire de Delilah dans son intégralité, tu comprendras pourquoi elle est aussi terrorisée par ce tyran.

— Je suis un policier, Cam. Je suis habituée aux violences domestiques. Très bien... Delilah, je vous écoute.

La perspective de raconter une deuxième fois son histoire, de surcroît à une personne qui lui était plutôt hostile, n'enchantait guère Delilah. Néanmoins, son interlocutrice força son admiration en l'écoutant avec une réelle attention tout au long du récit.

Elle n'entra pas dans les détails, mais décrivit ce qu'Avery lui avait fait subir, avec des mots simples et en s'efforçant de contenir au maximum son émotion. Sa déposition fut d'autant plus rapide qu'elle ne fit aucune allusion à l'éventuel meurtre de sa première femme. Elle réservait l'accusation pour la fin.

Une fois qu'elle eut terminé le récit qui la concernait personnellement, Delilah regarda Maggie, attendant ses questions.

— Etes-vous déjà allée au commissariat ? demanda cette dernière.

Delilah secoua la tête.

— A l'hôpital ?

— Non, je ne suis allée nulle part. J'ai pris la fuite comme si j'avais le diable à mes trousses car je craignais qu'il ne me retrouve et ne me tue. D'ailleurs, si je ne m'étais pas enfuie, je ne serais plus là aujourd'hui pour vous raconter mon histoire.

— S'il est mort en tombant dans l'escalier, il...

— Il n'est pas mort ! s'écria Delilah. J'ai effectué des recherches sur Internet, sur l'ordinateur de Cam. Il n'est fait nulle part mention de son décès. Ce qui, eu égard à sa notoriété, serait inconcevable si la chute lui avait été fatale.

Repensant à la terrible scène, elle frissonna puis ajouta :

— J'ai d'autant plus la certitude qu'il est vivant qu'il a payé les services d'un détective privé pour me retrouver. Ce dernier est venu au Perroquet Rouge.

— Le détective a affirmé que Freeman avait signalé la disparition de sa femme à la police, compléta Cam.

— C'est pourquoi je ne pouvais pas vous montrer mon permis de conduire, lorsque vous m'avez arrêtée.

Je redoutais d'être recherchée et que, sans connaître mon histoire, vous informiez la police de Houston que vous m'aviez retrouvée.

Maggie esquissa l'ombre d'un sourire et déclara :

— Etant donné les circonstances, je peux vous assurer que nous ne signalerons pas à M. Freeman que nous avons retrouvé sa femme. Avez-vous quelque chose à ajouter ?

— Oui, répondit alors Delilah avant de jeter un regard rapide à Cam. Je crois qu'Avery a tué sa première femme.

19.

Maggie, qui jusque-là avait fait preuve d'un comportement des plus sobres, perdit quelque peu de son professionnalisme et ouvrit de grands yeux.

— Pourquoi ne pas l'avoir signalé dès le départ ? s'exclama-t-elle.

Gênée, Delilah fixa un instant ses mains crispées avant de répondre :

— Je ne détiens aucune preuve, ce sont juste des soupçons.

— Des soupçons, certes, mais qui donnent tout lieu de croire qu'il a bel et bien assassiné sa première femme, précisa Cam.

Maggie lui décocha un regard désapprobateur.

— C'est à Delilah de s'expliquer.

Pour toute réponse, Cam lui adressa un coup d'œil agacé mais s'abstint de tout commentaire.

— Delilah, pourquoi le soupçonnez-vous d'avoir tué sa première femme ? reprit Maggie.

— Il m'a assuré qu'elle avait trouvé la mort dans un accident de voiture parce qu'elle était en état d'ébriété. C'était l'excuse qu'il avait trouvée pour me priver moi-même de véhicule. Il prétendait être terrorisé à l'idée qu'il puisse m'arriver la même tragédie.

Delilah ouvrit son sac et en sortit le fameux petit carnet relié qu'elle déposa devant Maggie avant de continuer :

— Elle s'appelait Anita. C'est son journal intime. Je l'ai trouvé dans la chambre où Avery m'avait séquestrée.

Maggie fixa le carnet sans le prendre.

— Des passages de ce journal vous conduisent-ils à penser qu'il l'a tuée ?

Delilah hocha la tête.

— Elle était allergique à l'alcool sous toutes ses formes, ainsi qu'elle l'écrit dans son journal.

— C'est tout ce que vous pouvez avancer contre lui ? fit Maggie en fronçant les sourcils.

— Non... Il y a également les propos qu'il a tenus lorsqu'il a découvert que j'avais consulté un avocat. Il m'a juré que nous ne divorcerions jamais. Que cette « traînée d'Anita » avait cru elle aussi pouvoir divorcer, mais qu'il avait déjoué ses plans et lui avait montré « de quel bois il se chauffait » avant qu'elle ne meure. Puis il a éclaté de rire, en m'avertissant qu'il était préférable que je sois vigilante car « un accident est vite arrivé ».

Maggie soupira et tapota nerveusement la table avec son stylo.

— Je vous l'accorde, ce sont là des paroles suspectes. Mais nous sommes bien loin des preuves. Possédez-vous des détails en ce qui concerne l'accident ?

— Ce que je sais, je l'ai appris par les journaux, sur Internet. Selon le rapport de police, il s'agit d'une mort accidentelle. La voiture a quitté la chaussée, est tombée dans un ravin et a explosé... Mais ce n'était pas un accident, j'en suis sûre, c'était un meurtre commis de sang-froid.

Maggie l'observa un bon moment sans rien dire.

Que pensait-elle de son récit ? s'interrogea Delilah. Elle paraissait réfléchir, comme si elle n'avait pas encore assimilé toute la teneur de ses propos...

Finalement, Maggie déclara dans un soupir :

— Très bien... J'ai une amie policier qui travaille à Houston. Je vais lui demander d'enquêter.

A ces mots, Delilah et Cam échangèrent un regard inquiet.

— Cette enquête pourrait être problématique, intervint Cam. Ne peux-tu prendre toi-même l'affaire en main ?

— Logiquement, c'est Houston qui doit s'en occuper.

— N'est-il pas possible de faire une exception ? insista Cam.

— Je peux délivrer le mandat d'arrêt, mais c'est la police de Houston qui se chargera de son exécution. Pourquoi ? Quel est le problème ?

— Avery a de nombreux amis dans la police, expliqua Delilah. J'ignore qui, exactement, mais j'ai l'impression que ce sont des gens haut placés.

— Que sous-entendez-vous ? s'insurgea Maggie. Que la police de Houston est au courant du crime et qu'elle le couvre ?

— Non, répondit calmement Delilah. Je dis simplement qu'il a des amis dans la police et que, si une enquête est ouverte sur l'accident, il peut vite être mis au courant. Ses amis peuvent l'informer qu'un mandat d'arrêt a été délivré contre lui et lui donner ainsi la possibilité de s'enfuir.

— D'abord un meurtre, maintenant une accusation de corruption de policiers ! s'exclama Maggie. Comment voulez-vous que je vous aide si j'ai les mains liées ?

Qu'attendez-vous de moi, exactement ? Que je fasse appel à la cavalerie pour mener l'enquête ? Alors que vous ne détenez aucune preuve pour étayer vos allégations ?

— Je n'accuse nullement vos collègues, se défendit Delilah. Tout ce qui m'importe, c'est qu'Avery soit poursuivi pour violence, et qu'une enquête soit ouverte sur la mort suspecte de sa première femme.

— Dans ces conditions, il faut que vous acceptiez que je transmette les informations à mon amie de Houston. Je ne peux pas mener l'enquête d'ici. L'affaire est classée depuis plus d'un an et elle n'a pas eu lieu dans la région.

Delilah lança un regard interrogateur à Cam qui la rassura.

— Il faut faire confiance à Maggie, Delilah. Il serait idiot d'avoir parcouru tout ce chemin et de faire machine arrière si près du but.

— Il ne s'agit pas de Maggie...

— Je suis allée à l'école de police avec l'amie dont je vous parle, et je peux vous assurer qu'elle fait son travail consciencieusement, insista Maggie qui avait deviné l'inquiétude de Delilah.

« Il serait idiot d'avoir parcouru tout ce chemin et de faire machine arrière si près du but. » Cam avait su trouver les mots justes. Il avait raison. Elle devait être confiante et espérer que tout s'arrangerait pour le mieux.

— Entendu, accepta-t-elle en soupirant. Soumettez-lui l'affaire.

— N'attendez pas toutefois des résultats immédiats, la prévint Maggie.

— Et en ce qui concerne la violence qu'il m'a fait

subir, les risques que j'encours et le divorce, que dois-je faire ? demanda Delilah.

— Pour le divorce, il vous faut un avocat. Ce n'est pas mon domaine.

— Et pour le reste ? Allons, Maggie, tu peux tout de même nous donner ton avis, insista Cam.

Cette dernière hésita, puis les regarda tour à tour.

— Ce que je vais vous dire ne va pas vous plaire. Seulement, sans preuve, ni témoin, ni photo, ni attestation médicale, il est fort probable que l'affaire soit classée sans suite. Sans compter que, en tant qu'avocat, Freeman risque d'avoir un habile défenseur.

A ces mots, Delilah se sentit défaillir. Pourquoi n'avait-elle pas pris de photos des marques de coups ? Mais quelle femme battue aurait l'idée de prendre ses bleus en photo ?

— Je suis témoin, intervint Cam. J'ai vu les hématomes et les traces de strangulation.

— Cela peut être un élément favorable, concéda Maggie. Cependant, le fait que Delilah vive chez toi et que vous ayez une liaison risque de vous être préjudiciable.

— Bon sang, Maggie ! s'exclama Cam.

Cette dernière l'arrêta d'un geste impérieux de la main.

— Du calme ! Tu m'as demandé mon avis, je te le donne. Je parle par expérience. Je n'y peux rien si ce n'est pas ce que tu veux entendre, je t'avais d'ailleurs prévenu, il me semble.

Se tournant vers Delilah, elle ajouta sur un ton plus doux :

— Trouvez-vous un bon avocat. C'est la meilleure chose que vous puissiez faire. Ensuite, réfugiez-vous pour quelque temps dans un centre agréé. Ecrivez tout ce que vous m'avez dit et ce que vous avez éventuellement oublié de préciser sur ce formulaire. Bref, tout ce qui vous paraît pertinent. Je vous avertirai lorsque le mandat d'arrêt aura été notifié. La suite dépendra du juge. S'il pense que votre récit est cohérent et vos soupçons fondés, la plainte sera suivie d'effets.

— Je vais donc m'accrocher à cet espoir, répondit Delilah en lui adressant un pâle sourire.

Elle refusait catégoriquement de penser à ce qui arriverait dans le cas contraire...

A cet instant, Maggie se leva, leur signifiant que l'entretien était terminé.

— Cam, puis-je te parler une minute en privé ?

Cam posa un tendre baiser sur les cheveux de Delilah et suivit Maggie dans l'autre pièce.

— Qu'est-ce que tu veux ? attaqua-t-il sans douceur dès qu'ils furent dans le couloir et que Delilah ne risquait plus de les entendre.

Sans répondre, Maggie ouvrit une porte et s'effaça pour le laisser entrer.

— Assieds-toi et calme-toi. Nous devons discuter un peu, toi et moi.

— Je préfère rester debout, je ne tiens pas à ce que l'entretien s'éternise. Pourquoi as-tu réagi de cette façon ? Pourquoi lui avoir donné l'impression que sa démarche était vaine ?

— Parce que c'est parfois ce qui arrive. Elle doit en être consciente et ne pas attendre de miracles dans la mesure où ses accusations vont faire tomber son mari de son piédestal social. Le plus dangereux pour une femme victime de violences conjugales est le moment où elle quitte son bourreau.

— Mais Delilah le sait parfaitement ! Pourquoi crois-tu qu'elle se soit cachée jusque-là ?

— Voulais-tu que je lui mente ?

— Je ne sais pas, marmonna-t-il frustré. Toute cette histoire est tellement insensée. C'est une victime, et elle doit de surcroît le prouver. C'est complètement dingue, non ?

— C'est le système. Personne n'a prétendu qu'il était parfait.

Cam jura et Maggie le laissa soulager ses nerfs avant de reprendre :

— As-tu pensé à ce que tu allais faire à présent ? De façon concrète, j'entends...

Il lui adressa un regard surpris.

— Que veux-tu dire exactement ?

— Cam, désolée de te ramener à la triste réalité, mais tu es dans une situation qui pourrait t'être fort préjudiciable. Au mieux, tu vas te retrouver au centre d'un divorce épineux. Au pire, Delilah risque d'y perdre la vie. Ou bien toi.

Incrédule, il se mit à la fixer.

— Qu'attends-tu de moi ? Que je la renvoie ? Que je l'abandonne ? Je suis amoureux d'elle, bon sang ! s'écria-t-il.

— Inutile de me le préciser. C'est clair comme de l'eau de roche, laissa tomber Maggie d'un petit ton agacé.

— Il est hors de question que je la laisse se débrouiller seule. Et je n'arrive pas à croire que tu m'encourages à commettre une telle lâcheté !

A ces mots, l'expression de Maggie s'adoucit.

— Je m'attendais à cette réaction. Allons, je ne te

demande pas un tel sacrifice. Seulement cette histoire est un véritable cauchemar et la situation peut vite devenir explosive. Et pour vous deux.

— Je suis assez grand pour nous protéger.

— Ne le prends pas mal, Cam. Je te parle en connaissance de cause. Sois prudent et convaincs-la d'aller vivre provisoirement dans un centre.

— Tu as entendu comme moi ce qu'elle en pense. En outre, ce n'est pas une solution. Delilah ne peut pas vivre pour le restant de ses jours dans un centre agréé pour femmes battues.

— Effectivement. Mais elle le doit tant que nous n'avons pas découvert si Avery Freeman avait tué sa première femme ou non.

— Quelles chances y a-t-il qu'il soit appréhendé, à ton avis ?

— Je suis incapable de me prononcer tant que je n'ai pas informé mon amie de toute l'affaire et que, de son côté, elle n'a pas pris de renseignements.

— Et toi, à la lumière des déclarations de Delilah, qu'en penses-tu ? Crois-tu qu'il l'a tuée ?

— Je ne sais pas... Je constate que Delilah et toi en êtes persuadés. Néanmoins, dans la mesure où tout ce que je connais de l'affaire, c'est la version de Delilah, je ne peux pas me prononcer.

— Dès que tu as du nouveau, tu nous informeras, n'est-ce pas ?

— Naturellement. Entre-temps, prenez un avocat. Et un bon, de préférence.

— C'est ce que nous allons faire.

Maggie approuva d'un mouvement de tête. Comme Cam se dirigeait vers la porte, elle le rappela.

— Cam ?

Il s'immobilisa et pivota sur ses talons.

— Te rend-elle heureux, au moins ?

— Oui, dit-il en souriant. Très heureux.

— C'est bien, tu le mérites, lui dit-elle avec sincérité.

Il lui adressa un nouveau sourire et sortit.

— Maggie ne croit pas à mon histoire de meurtre, n'est-ce pas ? s'enquit Delilah sur le trajet du retour.

Il coula un regard vers elle avant de fixer de nouveau la route.

— Je ne sais pas. Elle affirme ne pas pouvoir se forger une opinion avant d'avoir discuté avec son amie de Houston.

— Je dois cependant avouer qu'elle m'a étonnée. Je ne m'attendais pas à ce qu'elle soit si compréhensive.

— Maggie a bon fond. Et c'est un excellent policier. Je te l'avais dit.

— Oui, mais je ne pensais pas qu'elle nous réserverait un tel accueil dans la mesure où elle est amoureuse de toi.

— Tu te trompes, Delilah, protesta-t-il. Maggie n'est pas amoureuse de moi. Naturellement, elle m'aime beaucoup, mais il s'agit d'amitié entre nous, pas d'amour.

Même si Delilah n'en croyait pas un mot, elle préféra ne pas insister.

— Elle pense que tu es fou de sortir avec moi, n'est-ce pas ?

— Delilah, cesse de t'inquiéter pour des peccadilles ! soupira-t-il. Ce que Maggie pense ou ne pense pas n'a aucune espèce d'importance. Ce qui compte, c'est que nous soyons amoureux l'un de l'autre et que nous vivions ensemble.

Ils restèrent silencieux pendant un bon moment, puis Delilah reprit :

— Je me sens coupable. Je n'aurais pas dû t'entraîner dans mon histoire. Que va-t-il se passer si Avery me retrouve ? S'il s'en prend à toi en essayant de m'atteindre ?

Ils venaient d'arriver au Perroquet Rouge. Cam coupa le moteur et la regarda tendrement.

— Ma chérie, je suis assez grand pour me défendre. Je refuse que tu te tracasses pour moi.

— C'est plus fort que moi ! Je ne pourrais pas supporter qu'il te cause du tort. Ou qu'il t'arrive malheur à cause de moi.

— Il ne va rien nous arriver, ni à toi, ni à moi, lui assura-t-il en descendant du pick-up.

— Cam, attends…

Il la rejoignit et, prenant ses mains dans les siennes, les porta à ses lèvres.

— Delilah, tu viens de traverser une terrible épreuve. Je comprends que tu sois ébranlée. De plus, ce face-à-face avec la police a dû être éprouvant pour toi. Revenir sur le pire épisode de ta vie, ce n'était pas une sinécure, je le conçois. Mais à présent, c'est terminé, tu es en sécurité.

— Je vais aller dans un centre, Cam, lui annonça-t-elle brusquement.

— Je croyais que tu ne le souhaitais pas…

— Je n'en ai aucune envie, c'est vrai, mais c'est la seule façon pour que toi tu sois en sécurité.

Il soupira et l'étreignit.

Alors elle posa sa tête sur son torse rassurant, passa

ses bras autour de sa taille et ferma les yeux. Ils restèrent un bon moment enlacés, sans prononcer un mot...

— Selon Maggie, c'est la meilleure solution pour toi, reprit Cam. Tout au moins jusqu'à ce que nous sachions si Freeman sera poursuivi pour meurtre, en plus de l'être pour violences conjugales. Elle m'a fait promettre de te convaincre d'aller dans un centre agréé.

— C'est ce que je vais faire, répondit-elle en se dégageant de son étreinte. Dès demain.

Sitôt avisé des charges qui pesaient contre lui, Avery risquait de contre-attaquer violemment et de chercher à se venger d'elle. Or elle ne tenait pas à ce que Cam subisse les retombées de son tragique mariage. Il était donc plus sage d'accepter de se rendre dans un centre.

— Profitons encore de cette nuit, dit Cam en l'embrassant. Et quand cette méchante affaire sera terminée, nous aurons toutes les nuits de la vie pour nous aimer...

20.

Le matin suivant, Cam se leva de bonne heure.

Son premier réflexe fut d'appeler Maggie pour lui demander le numéro de téléphone du centre le plus proche. Puis il téléphona à Gabe, le mit au courant de la situation en deux mots et le pria de venir au Perroquet Rouge veiller sur Delilah car il avait une course urgente à faire.

— Normalement, il ne devrait rien se passer, déclara-t-il à Gabe lorsque ce dernier arriva chez lui. Cependant, je préfère que Delilah ne reste pas seule. La déposition d'hier a été une rude épreuve pour elle et elle est encore toute bouleversée.

— Ne t'inquiète pas, je vais veiller sur elle, lui promit Gabe.

— Je viens de faire du café, annonça Cam en désignant la cafetière fumante. Delilah dort encore, je n'ai pas voulu la réveiller. Dis-lui que j'ai inscrit le numéro d'un centre agréé et celui d'un avocat sur le bloc-notes. Etant donné les circonstances, ce dernier la recevra certainement aujourd'hui.

— Je n'arrive toujours pas à y croire. Ce type est complètement cinglé.

— C'est le mot, répondit Cam en se frottant le

menton d'un air soucieux. Le tout est maintenant d'en convaincre le juge.

— N'es-tu pas contre l'idée qu'elle aille dans un centre agréé pour femmes battues ?

— Je ne me réjouis pas de la savoir loin de moi et de ne pas pouvoir la voir, bien sûr, mais sa sécurité importe plus. Et selon Maggie, c'est le lieu le plus fiable.

— Pourras-tu lui rendre visite là-bas ?

— Tu sais, dans ce genre d'endroits, les hommes ne sont pas vraiment les bienvenus, ce qui, soit dit en passant, est tout à fait compréhensible. Nous trouverons sûrement un moyen de nous arranger pour nous rencontrer ailleurs. Si Freeman est accusé de meurtre, Delilah ne devrait pas rester éloignée très longtemps.

— Et si rien n'est entrepris contre lui ?

— Nous aviserons le moment venu, trancha Cam tout en priant pour ne pas être confronté à cette situation. Quoi qu'il arrive, je l'épouserai à la minute même où elle sera libérée des chaînes qui la lient encore à ce forcené.

— La révolution est en marche, dit Gabe en souriant.

— Tu n'y vois pas d'inconvénient, j'espère ?

Il se doutait bien que Gabe avait surmonté ses préjugés concernant Delilah, mais il voulait l'entendre de sa propre bouche.

— Dans la mesure où tu es complètement fou d'elle, je pense qu'il est plus sage que je le sois aussi, plaisanta Gabe.

— C'est effectivement *plus sage*, puisque tu seras mon témoin, répondit Cam sur le même ton en serrant la main que lui tendait son frère.

— Cameron ! Que fais-tu ici de si bon matin ? s'étonna Meredith Randolph en découvrant son fils sur le seuil de sa porte.

— Je suis venu voir comment tu allais, répondit-il en l'embrassant. Pas de nouvelle indisposition depuis la dernière fois ?

— Dieu merci, non ! Mais il me semble bien te l'avoir déjà dit hier au téléphone. Allons, explique-moi plutôt quel est le véritable objet de ta visite.

— Un fils ne peut-il donc pas venir embrasser sa mère sans raison précise ? Offre-moi plutôt une tasse de café, s'il te plaît.

Cam s'installa autour de la table de la cuisine tout en observant à la dérobée sa mère qui s'activait. Quelque chose avait changé en elle, mais il n'arrivait pas à déterminer quoi.

— Tu es très en beauté, ce matin, lui dit-il enfin.

Elle portait un peignoir bleu clair qui mettait en valeur ses cheveux fraîchement teints. Quelques années auparavant, elle avait décidé de devenir blonde, ce qui l'avait rajeunie d'au moins dix ans.

— Merci, répondit-elle en riant. Ah ! Je suis impatiente de savoir ce que tu veux...

— Je vais y venir, promit-il d'un air à la fois mystérieux et malicieux.

— A propos, Cam, je voulais te dire que...

Elle n'eut pas le temps d'achever sa phrase : un homme, à peu près du même âge qu'elle, venait de se dessiner dans l'encadrement de la porte, boutonnant tranquillement sa chemise.

— Meredith, cela te conviendrait-il de prendre l'avion pour Dallas ce soir et...

Il s'interrompit en apercevant Cam.

— Oh, bonjour ! Vous devez être l'un des fils de Meredith... Vous lui ressemblez beaucoup.

Comme un automate, Cam se leva et tendit la main à l'inconnu, s'efforçant de paraître naturel, ce qui était loin d'être le cas. La nonchalance de l'homme conjuguée au rouge qui empreignait soudain les joues de sa mère indiquaient clairement qu'il avait passé la nuit ici.

— Je suis effectivement Cameron Randolph, déclara-t-il avec froideur. Cependant, je constate que vous avez un avantage sur moi dans la mesure où, pour ma part, j'ignore absolument qui vous êtes.

— Cameron ! s'exclama sa mère.

L'homme serra la main de Cam en souriant et se présenta :

— Je suis John Boyd. Ravi de faire votre connaissance.

Le visage fermé, Cam ne répondit rien.

— Franchement, Cameron, tu pourrais être plus courtois ! lui reprocha sa mère.

— Allons, Meredith, intervint John avant que Cam ne puisse s'expliquer. Il est normal qu'un fils se fasse du souci pour sa mère. C'est le contraire qui serait inquiétant.

— Là n'est pas la question ! Je n'aime pas que mes enfants se comportent de façon incorrecte. Il me semble leur avoir inculqué d'autres manières ! John est mon voisin, précisa-t-elle en jetant un regard sévère à Cam.

Boyd se mit à rire.

— Je crois qu'il vaudrait mieux jouer franc-jeu, ma chérie, ton fils n'a pas l'air d'avoir le sens de l'humour.

— Jouer *franc-jeu* ? répéta Cam, comme s'il avait mal entendu.

Sa mère sortait de façon occasionnelle avec des hommes et n'en faisait pas mystère, mais il n'avait encore jamais rencontré l'un de ses amants. Et il se serait bien passé de la confrontation avec la réalité.

Passant son bras autour des épaules de Meredith, John arbora un sourire rayonnant et déclara :

— J'ai demandé votre mère en mariage. Elle ne m'a pas encore donné sa réponse, mais j'ai bon espoir.

Cam tressaillit. Le cours des événements venait subitement de s'accélérer et il ne comprenait plus ce qu'il se passait. Sa mère, se remarier ? Cela faisait des années qu'elle était veuve. Et il ne pouvait l'imaginer avec un autre homme que son père... D'ailleurs, n'avait-elle pas toujours clamé haut et fort qu'il était le seul amour de sa vie et que jamais elle ne retrouverait un homme à sa hauteur ?

— N'est-ce pas un peu précipité ? lança-t-il alors. Sans vouloir vous offenser, John, aucun membre de la famille n'a encore entendu parler de vous. A moins que les autres soient au courant et pas moi, ajouta-t-il en se tournant vers sa mère.

— Tu sais, tout a été très vite, enchaîna Meredith sans véritablement répondre. John a emménagé dans le voisinage il y a juste quelques semaines.

— Et tu envisages d'épouser un homme que tu ne connais que depuis si peu de temps ?

— Oui, telle est bien mon intention, lui assura-t-elle d'un ton ferme en relevant le menton. Et inutile de te rappeler que je suis assez grande pour mener ma vie comme je l'entends.

Boyd regarda tour à tour le fils et la mère, avant de déclarer prudemment :

— Bien... Je crois qu'il est préférable que je vous laisse discuter en famille.

Cam fronça les sourcils lorsqu'il vit John déposer un léger baiser sur les lèvres de sa mère.

— Appelle-moi tout à l'heure afin que nous discutions de notre éventuel voyage à Dallas, ma chérie. A propos, j'ai pris des billets pour le concert de la semaine prochaine. Ravi d'avoir fait votre connaissance, Cameron.

— Comment peux-tu avoir la certitude qu'il ne convoite pas ton argent ? s'écria Cam dès qu'il fut seul avec sa mère.

En mourant, son mari lui avait laissé une fortune considérable et Cam avait toujours redouté que sa mère ne soit la proie d'hommes cupides, désireux de tirer avantage d'elle.

Meredith éclata de rire.

— Franchement, Cameron, si tu voyais ta tête ! Allons, rassure-toi, John est bien plus fortuné que moi, et il n'est pas vénal.

— En es-tu sûre ? Comment sais-tu qu'il ne te raconte pas d'histoires ?

— John a fait fortune dans la navigation. Si tu lisais un peu les journaux, son nom te serait familier, mon grand.

— Je lis les journaux !

A la réflexion, il lui semblait bien avoir déjà lu ce nom-là quelque part... John Boyd était effectivement un milliardaire...

— Es-tu bien certaine qu'il est l'homme qu'il prétend être ?

— Tu as entendu son allusion à un voyage à Dallas, n'est-ce pas ?

Cam hocha la tête.

— Il veut que nous nous y rendions dans son jet privé, poursuivit sa mère, un grand sourire aux lèvres. Je l'ai déjà emprunté, je sais donc qu'il possède bel et bien un jet.

— Tu n'as pas répondu à ma question, tout à l'heure. Les autres le connaissent-ils ?

— Tu veux parler de tes sœurs et de ton frère ? Cat l'a déjà rencontré et l'apprécie beaucoup. Gabe et Gail ne le connaissent pas encore mais sont impatients de faire sa connaissance. En revanche, tu es le seul à savoir qu'il m'a demandée en mariage. Et j'aimerais que tu restes discret pour l'instant. J'ai l'intention de leur annoncer moi-même la nouvelle.

— Parfait. Je n'avais pas très envie d'être ton porte-parole, de toute façon.

Mais il aurait bien aimé voir la réaction des autres à l'annonce de la nouvelle...

— Maman, cela ne te ressemble pas. Je veux dire, cet homme, tu le connais à peine...

— Et pourtant j'ai l'impression de le connaître depuis toujours !

A cet instant, elle poussa un long soupir et son regard rêveur plongea Cam dans la plus grande confusion.

— Je m'amuse tant avec lui, poursuivit-elle, un sourire lumineux aux lèvres. Il est fou de moi... Tu dois penser que je suis folle, n'est-ce pas ?

D'un seul coup, Cam comprit ce qui avait changé chez sa mère : elle était réellement amoureuse. Il ne l'avait jamais vue aussi heureuse depuis le décès de son mari, c'est-à-dire depuis de nombreuses années...

— Non maman, je ne pense pas que tu sois folle, répondit-il alors avec douceur.

— Vraiment ? fit Meredith, surprise.

— Non, je t'assure. Si tu l'aimes et que tu es heureuse, alors il ne faut pas hésiter... Tant que tu es certaine que ce n'est pas ton compte en banque qu'il vise !

Encore une fois, Meredith se mit à rire, puis déclara non sans malice :

— Je l'aurais épousé même sans ton assentiment, mon chéri. Néanmoins, je suis rassurée que tu n'aies rien contre mon mariage avec John. J'espère que Gabe accueillera la nouvelle avec autant de générosité que toi.

— Je suis curieux de connaître sa réaction, répondit Cam d'un air amusé.

— Allons nous asseoir dans le salon afin que tu m'expliques enfin la raison de ta venue. Je sais qu'il ne s'agit pas uniquement d'une visite surprise.

Mais Cam était trop agité pour s'asseoir. Se plantant devant l'immense baie vitrée, il scruta un instant l'océan avant de se tourner de nouveau vers sa mère.

— As-tu encore la bague de grand-mère ? demanda-t-il à brûle-pourpoint.

— La bague de fiançailles de Livia ? s'étonna Meredith en faisant allusion à sa belle-mère. Bien sûr ! Qu'est-ce...

Elle s'interrompit brutalement et écarquilla les yeux.

— Cameron ! Vas-tu te marier ?

Ce dernier esquissa un sourire.

— Oui.

— Avec Delilah, n'est-ce pas ?

— Naturellement ! Avec qui, à ton avis, est-ce que je vis depuis quelques semaines ?

— Vous ne vous connaissez pas depuis plus longtemps que John et moi, observa Meredith avec malice. Es-tu certain de faire le bon choix ?

— Je suis certain que je l'aime. Et elle aussi, elle m'aime.

A ces mots, les yeux de Meredith se mirent à briller et elle écrasa une larme en riant.

— Je suis si heureuse, mon chéri ! Je craignais tant que tu ne te maries jamais.

Fouillant fébrilement dans sa poche, elle en retira un mouchoir, puis tout en se tamponnant les yeux, elle continua :

— Tu ne m'avais pas demandé la bague de ta grand-mère quand tu envisageais d'épouser Janine.

— C'est vrai…

Janine avait voulu choisir sa propre bague. Une bague somptueuse, bien au-dessus des moyens de Cam. Un tel caprice aurait dû lui mettre la puce à l'oreille sur la personnalité de sa fiancée d'alors.

— Je devais inconsciemment savoir que je commettais une erreur, poursuivit-il.

— Tu sais, je ne l'ai jamais beaucoup appréciée, avoua Meredith.

— Ah bon ? Tu ne l'as jamais montré, pourtant.

— Ce n'était pas à moi de te mettre en garde contre elle. Tu étais un adulte, après tout. Mais je n'ai jamais pensé qu'elle était celle qui te convenait.

— Tu aurais tout de même pu me faire part de tes impressions.

— M'aurais-tu écoutée ?

A l'époque, il était tellement convaincu que Janine était la femme de sa vie…

— Probablement pas, répondit-il enfin avec un pâle sourire.

— Il est *certain* que non, renchérit sa mère en riant. Et, qui plus est, tu m'en aurais tenu rigueur.

— Oublions Janine ! Cette histoire n'a plus d'importance aujourd'hui.

— Tu as raison. Celle qui compte, c'est Delilah.

Prenant son fils dans ses bras Meredith voulut tout savoir.

— Et quand as-tu l'intention de lui faire ta demande en mariage ?

— C'est déjà fait... En revanche, je ne peux pas lui donner la bague tout de suite. Il y a un problème.

— Un gros problème ?

— Oui, il est de taille...

S'armant de courage, il lui résuma brièvement la situation.

Lorsqu'il eut terminé, sa mère le fixait avec de grands yeux si inquiets qu'il craignit de l'avoir fortement perturbée.

— Je n'arrive pas à le croire... La pauvre enfant. Quand je pense à ce qu'elle a enduré avec ce monstre... C'est un miracle qu'elle ait pu lui échapper !

— Effectivement, approuva Cam. J'espère à présent que la preuve du meurtre sur la personne de la première femme de cet individu va être établie.

Freeman derrière les barreaux, il n'aurait plus de souci à se faire pour la sécurité de Delilah...

— Je dois rentrer à la maison. J'espère que Delilah aura pu obtenir un rendez-vous avec un avocat aujourd'hui.

— Je vais te chercher la bague de ta grand-mère. Elle aurait été ravie pour toi.

— Merci. A propos, maman... Préviens John que s'il te traite sans égard, Gabe et moi lui donnerons une bonne leçon.

Meredith laissa fuser un rire de jeune fille.

— Promis ! Je l'en avertirai. Cela dit, tu n'as pas de souci à te faire. C'est un homme merveilleux.

Delilah émergea lentement du sommeil et s'étira avec grâce, à l'instar d'un jeune félin. Puis elle cligna des paupières, ouvrit enfin les yeux... et découvrit une rose d'un beau jaune pâle sur l'oreiller. Où Cam avait-il trouvé cette rose, de si bon matin ? se demanda-t-elle, un large sourire aux lèvres. L'avait-il chapardée dans un des jardins du voisinage ? A cette idée, ses yeux se brouillèrent de larmes. L'attention était si touchante !

Puis elle se rappela brusquement qu'elle allait le quitter dans quelques heures à peine, et cette pensée la glaça. Heureusement qu'elle avait pris sa décision la veille au soir, car il n'était pas certain que, ce matin, elle ait fait preuve du même courage. Mais il lui était impossible à présent de se dédire. Elle devait avoir foi en l'arrestation imminente d'Avery et en sa proche incarcération pour meurtre. Son bonheur avec Cam était à ce prix.

Quelques minutes plus tard, elle pénétrait dans la cuisine... et s'immobilisa brusquement sur le seuil. Ce n'était pas Cam mais Gabe qui était assis à la table de la cuisine, lisant tranquillement le journal tout en buvant son café.

« Il ne te déteste plus », lui avait affirmé Cam. Mais elle se sentait toujours aussi mal à l'aise en sa présence.

— Bonjour, dit-elle d'un ton réservé en s'emparant de la cafetière. Où est Cam ?

— Je l'ignore. Il m'a dit qu'il avait une course à faire et m'a prié de rester avec vous.

— Je n'ai pas besoin de baby-sitter.

Un sourire barra le visage de Gabe. Il était très

séduisant quand il se comportait comme un être civilisé, pensa-t-elle alors.

— C'est à Cam qu'il faut le dire, pas à moi, lui précisa-t-il.

Prenant sa tasse de café, elle s'assit à la table.

— Je suis désolée qu'il vous ait dérangé à cause de moi. Vous avez sûrement mieux à faire que du baby-sitting.

— Ce n'est rien. Je vous dois bien ça... Je *te* dois bien ça.

Son tutoiement la troubla.

— Pourquoi ? demanda-t-elle pour se donner une contenance.

— Je n'ai pas été très sympathique avec toi. Avant que... Enfin, avant.

— Vous...

— Tu, la corrigea-t-il.

— *Tu* te faisais du souci pour Cam, et je ne peux pas t'en vouloir.

Elle fit une pause avant d'ajouter d'un air gêné :

— D'ailleurs, tu avais raison. Je lui avais menti sur un point.

— Tout le monde commet des erreurs, Delilah. En fait, derrière mon comportement hostile, ce n'était pas toi que je visais, mais une femme que j'ai connue autrefois...

Il hésita puis, haussant les épaules, continua :

— Tu me fais penser à elle. Tu lui ressembles.

— Qui était-ce ?

— Oh... une erreur de jeunesse. Elle était peu recommandable. Votre ressemblance est uniquement d'ordre physique.

Comme Delilah s'apprêtait à répondre, on frappa à la porte d'entrée.

— J'y vais, dit Gabe en se levant pour aller ouvrir. Bonjour, Maggie. Entre, je t'en prie.

— Salut, Gabe. Bonjour, Delilah.

— Je te sers un café ? proposa Gabe.

— Avec plaisir. Un mandat a été émis contre Freeman pour violence conjugale, annonça-t-elle à Delilah. Il devra donc bientôt répondre de ses actes devant la justice.

— Et pour le reste ? Avez-vous des nouvelles en ce qui concerne le crime ?

— Rien de ce côté-là, dit Maggie en prenant la tasse que lui tendait Gabe. Mon amie a besoin d'un peu de temps pour enquêter. En outre, elle doit agir discrètement dans la mesure où elle ne sait pas qui sont les amis de Freeman dans son département. Sans compter qu'elle est débordée de travail. Il va donc falloir que nous soyons patients.

Delilah esquissa un triste sourire.

— C'est difficile...

— Cam vous a-t-il donné le numéro du centre ?

— Je n'ai pas vu Cam, ce matin.

— Il a laissé le numéro près du téléphone, intervint Gabe. Ainsi que celui de l'avocat. Il espère que tu pourras avoir un rendez-vous aujourd'hui.

— Parfait, je vais l'appeler.

A cet instant, le portable de Maggie se mit à sonner.

— Barnes, dit-elle en prenant la communication.

Elle écouta attentivement son interlocuteur avant de lever les yeux au ciel d'un air mi-affligé, mi-amusé.

— J'arrive ! soupira-t-elle.

Elle raccrocha et s'excusa auprès de ses hôtes :

— Désolée de vous fausser compagnie si vite, mais une vache perturbe de nouveau la circulation en centre-ville.

— Celle de M. Eibert ? hasarda Delilah en se retenant de rire.

— Exact ! Cette fois, il va m'entendre... Bon, j'y vais. Je vous avertis dès que j'ai du nouveau.

— Merci, Maggie, lui dit Delilah en la raccompagnant jusqu'à la porte.

Maggie ne lui répondit pas mais lui serra la main avec sincérité.

— Je vais passer ces appels téléphoniques et ensuite je prendrai ma douche, annonça Delilah en revenant dans la cuisine.

— Parfait, approuva Gabe. Y a-t-il des choses précises à faire, en bas, avant l'ouverture ?

— La machine à café a un problème : elle crachote.

— Je vais voir ce que je peux faire, mais je ne te promets rien. Cette machine a *toujours* un problème.

Une demi-heure plus tard, Delilah descendait l'escalier. Comme elle pénétrait dans les cuisines pour regagner la salle du Perroquet Rouge, elle entendit des bruits de conversation. Cam devait être de retour. Elle allait entrer dans le bar lorsque Gabe éleva la voix.

— Désolé, nous n'ouvrons pas avant 11 heures.

— Comme c'est dommage !

Immédiatement, le sang de la jeune femme se figea dans ses veines et son cœur se mit à tambouriner comme un fou dans sa poitrine. Elle colla l'oreille contre la porte pour tenter d'en entendre davantage.

Non... Ce n'était pas lui. Cela ne pouvait être lui ! Elle se faisait forcément des idées...

— Hé ! Je vous ai dit que nous étions f...

Mais Gabe ne termina pas sa phrase, et poussa un curieux grognement. Puis il y eut un bruit de chute.

Complètement paniquée à présent, Delilah se précipita sur le téléphone accroché au mur des cuisines. Sa main tremblait tellement qu'elle n'arrivait pas à composer le numéro de la police...

« Mon Dieu, pensait-elle, faites que ce ne soit pas lui. Et que j'appelle pour rien. Je veux bien me couvrir de ridicule pour m'être affolée inutilement, mais faites que ce ne soit pas lui... »

— Si j'étais toi, je raccrocherais, ma belle. A moins que tu ne veuilles que j'achève ton ami. Il est encore en vie, mais cela peut ne pas durer.

Lentement, tel un automate, Delilah se retourna, le combiné du téléphone plaqué contre sa poitrine.

De haute stature, séduisant, les cheveux bruns parcourus de fils argentés, il avait exactement l'air de ce qu'il était : un homme puissant et respecté.

Et un meurtrier.

— Bonjour, Anne, dit Avery Freeman dans un rictus, en pointant un revolver vers elle. Surprise de me revoir, ma chérie ?

21.

Paralysée, Delilah ne bougeait pas. Un kaléidoscope d'images explosa dans sa tête. Des moments de sa vie passée avec Avery... Le visage de sa mère... Celui de Cam... Le petit Max dans les bras de son oncle... Les poissons de l'aquarium qu'ils avaient visité tous les deux...

— Raccroche ce téléphone tout de suite, Anne, ordonna Avery en lui désignant l'appareil de sa main libre. Dépêche-toi ou j'achève ton ami.

Revenant brusquement à la réalité, Delilah demanda sur un ton de reproche :

— Pourquoi lui as-tu fait cela ?

— Le téléphone, ma chérie. Désolé d'insister...

Delilah obéit sans discuter. Le ton doucereux d'Avery était bien plus inquiétant que des insultes, elle ne le savait que trop.

— Te voilà enfin raisonnable, susurra-t-il d'une voix mielleuse. Tu sais combien l'obéissance de ma femme me tient à cœur. Ce n'est d'ailleurs pas la seule qualité qui importe à mes yeux... Mais viens avec moi dans l'autre pièce pour que je puisse surveiller ton ami tout en continuant tranquillement notre petite discussion.

Encore une fois, elle lui obéit. Elle avait la sensation

d'évoluer sur des sables mouvants ; un seul mot de trop, un seul mot déplacé, et Avery était bien capable de tout faire disparaître autour de lui.

En arrivant dans le bar, elle découvrit Gabe qui gisait sur le sol, immobile... Elle porta sa main à ses lèvres pour étouffer un cri.

— Qui est-ce ? Un de tes souteneurs ? demanda brusquement Avery.

— Je n'ai pas de...

— Non seulement tu es une catin, mais en plus une menteuse ! tonna-t-il en sortant quelque chose de son manteau pour le poser sur le comptoir. Regarde ! ordonna-t-il d'une voix rageuse. Ce sont des photos de toi et de ton amant ! Le propriétaire de ce fichu restaurant ! Cameron Randolph ! Tu l'as donc laissé poser ses mains sur toi, te...

— Tais-toi !

— Tu m'as trahi, poursuivit Avery d'un œil mauvais. Tu as trahi tes vœux de mariage. Sais-tu que je pourrais te tuer pour cette trahison ?

— Je n'ai rien trahi du tout. Ce n'était pas un mariage, mais une parodie de mariage ! Un outrage à la décence.

Avery laissa éclater un rire sarcastique.

— C'est toi, qui parles de décence ? Toi qui trompes ton mari !

A cet instant, Gabe émit un grognement qui attira l'attention d'Avery.

— Notre ami se serait-il réveillé ? fit-il d'un ton moqueur en lui donnant un coup de pied dans les côtes.

Gabe gémit sourdement.

— Laisse-le tranquille ! s'écria-t-elle. Il travaille ici,

il n'a rien à voir avec moi. Tu n'as aucune raison de lui causer du tort.

— Je suis désolé de le souligner, ma chère Anne, mais je ne crois pas un traître mot de ce qui sort de ta bouche. Qui me dit que tu n'as pas couché avec lui aussi ?

— Il n'y a rien eu entre lui et moi, je te le jure !

— Et celui-là ? demanda durement Avery en désignant les photos. Vas-tu prétendre que tu n'as pas eu de relations sexuelles avec Cameron Randolph ? Réfléchis bien avant de nier, ma chérie…

En prononçant ces mots, Avery dirigea son revolver vers Gabe. Puis il adressa un sourire narquois à Delilah avant d'ajouter :

— Si tu mens, je tire…

Delilah croisa le regard de Gabe. Ce dernier secoua la tête, pour l'encourager à ne pas avouer. Mais elle n'avait pas le choix. Elle ne pouvait être responsable de la mort de Gabe. Pas si elle avait le moyen de l'empêcher. Quant à Cam… Oh, mon Dieu ! Elle pria de toutes ses forces pour qu'il ne franchisse pas le seuil de la porte.

— Oui, c'est exact, répondit-elle en regardant Avery dans les yeux avec un air de défi.

— Qu'est-ce qui est exact ? Je veux l'entendre de ta bouche.

— J'ai couché avec un autre homme.

Elle ne vit pas venir la gifle. Elle vacilla légèrement sous le coup tout en étouffant un petit cri.

Un sourire cruel barra alors le visage d'Avery.

— Je t'assure que tu vas payer ta trahison. J'espère au moins qu'il en valait la peine.

— Oui, répondit-elle en relevant le menton et en enchaînant son regard au sien.

Si elle devait mourir, autant que ce soit dans la dignité, pensa-t-elle.

— Je vais demander le divorce, Avery. J'ai porté plainte contre toi. La police sait que tu es ici et ne va pas tarder à arriver, mentit-elle avec aplomb.

— Pitoyable mensonge ! Cependant, par prudence, nous n'allons pas nous attarder. Juste attendre l'arrivée de ton amant. Je suis impatient de voir l'expression de ton visage quand je lui règlerai son compte. Je te promets de bien faire durer le plaisir. Ensuite nous nous envolerons pour le Mexique, tous les deux. Là-bas, nous nous retirerons dans un village isolé où personne ne t'entendra crier. Personne à part moi.

Elle sentit alors un grand froid s'insinuer en elle et essaya de repousser ces propos sadiques avant qu'ils ne s'immiscent dans son cerveau et ne la paralysent de peur.

— La police est au courant pour Anita. Je leur ai dit que tu l'avais tuée, lança-t-elle alors avec vigueur pour conjurer sa terreur.

S'il parut ébranlé, cela ne dura pas.

— Personne ne te croira, ma chérie. Tu n'as aucune existence sociale, Anne. Tu es une menteuse et une catin. Entre ta parole et la mienne, laquelle l'emportera, à ton avis ?

Elle lança un bref coup d'œil à Gabe. Ce dernier ne lâchait pas Avery du regard, attendant le moment opportun pour intervenir. Tout comme elle, il savait qu'il n'aurait qu'une chance. Pas deux.

— J'ai trouvé son journal intime et je l'ai remis à la police, insista-t-elle. Elle était allergique à toute forme d'alcool, donc elle ne pouvait pas être ivre, ce soir-là.

Je le sais, tu le sais, et maintenant, la police est également au courant.

— Delilah, qu'est-ce qui…

Rachel, qui venait d'entrer dans la salle du restaurant, s'immobilisa en apercevant la scène.

— Rachel, sors d'ici immédiatement ! lui cria Delilah tandis qu'Avery pointait son revolver sur la nouvelle venue.

Rachel leva les mains en l'air et réprima un petit cri.

Avery allait appuyer sur la détente lorsque Gabe bondit sur lui et dévia la trajectoire de la balle qui vint percuter la porte vitrée, la faisant voler en éclats. Alors les deux hommes roulèrent sur le sol dans une lutte désespérée.

— Rachel, appelle la police ! hurla Delilah. Et surtout, sors d'ici !

Rachel observa la scène pendant quelques secondes, tétanisée, et disparut en courant.

Delilah se précipita alors derrière le bar pour s'emparer de la batte de base-ball, bien décidée à assommer Avery. Mais au moment où elle se dirigeait vers la mêlée, un coup partit et Gabe s'écroula, en se tenant les côtes. Avery lui plaqua immédiatement l'arme sur le front…

Delilah voulut alors frapper Avery avec la batte, mais d'un geste vif, il dirigea le revolver vers elle.

— Pose la batte ou je te tue ! aboya-t-il.

— Essaie pour voir, le défia-t-elle en agrippant plus fermement la batte. Pour l'instant, tu me préfères vivante, je le sais.

Un sourire mauvais se dessina alors sur les lèvres d'Avery.

— Exact, confirma-t-il en braquant de nouveau l'arme vers Gabe. Mais lui, je peux le tuer.

Gabe gisait, immobile, le visage crispé par la douleur. Il allait mourir, pensa Delilah atterrée. Il allait mourir par sa faute. Et si Cam avait été présent, ce serait lui qui aurait été étendu à sa place, sur le sol du Perroquet Rouge. D'ailleurs, il pouvait arriver à tout moment... Alors elle serait aussi responsable de sa mort...

— Ne le tue pas ! s'écria-t-elle en laissant tomber la batte de base-ball à terre.

L'objet roula bruyamment sur le sol...

Le sourire d'Avery s'élargit.

— Et comment comptes-tu m'en empêcher, ma chérie ?

Elle sentit son estomac se contracter de façon violente et sa vue se brouilla, mais elle répondit d'une voix calme :

— Si tu le laisses en vie, je viendrai avec toi sans faire d'histoires. Je te suivrai au Mexique, je ne m'opposerai pas à ta volonté.

— Et si je le tue ?

— Alors tu devras me tuer aussi car j'aurai été témoin du crime. Ce qui te privera de tous tes futurs plaisirs.

Lorsque Cam se gara sur le parking du Perroquet Rouge, il jeta un coup d'œil dans le rétroviseur : Maggie le talonnait dans le fourgon de police. Un léger malaise s'empara de lui... Allons, pensa-t-il agacé, elle venait juste leur annoncer que Freeman était en garde à vue. Et qu'il allait rester un bon moment aux mains de la police. Il sauta du pick-up pour aller à sa rencontre.

Lorsqu'il aperçut son visage, son mauvais pressentiment, hélas, se confirma.

— Que se passe-t-il, Maggie ?

— Freeman est en fuite, annonça-t-elle sans préambule. Il a disparu avant que la police ne l'appréhende.

Livide, il la fixa pendant quelques secondes, tâchant de mettre de l'ordre dans ses pensées.

— Il est en fuite ? Depuis quand ?

— On l'ignore...

Maggie détourna les yeux un instant, et les reporta sur Cam au moment où ce dernier se dirigeait vers l'escalier. Elle l'attrapa par le bras.

— Cam, attends...

Un coup de feu, aussitôt suivi d'un bruit de verre brisé, leur parvint alors du restaurant.

Cam lâcha un juron.

— C'est lui ! Il a retrouvé Delilah. Et Gabe.

Cam avait déjà le pied sur la première marche lorsque Rachel descendit en trombe. En apercevant Cam, elle se jeta dans ses bras, en larmes.

— Rachel ! Que s'est-il passé ? Mais parle, bon sang !

— Elle... Il... Oh, mon Dieu ! Mon Dieu...

Mais la jeune serveuse était incapable d'aligner deux mots et tremblait de tous ses membres.

Cam la secoua violemment et elle se ressaisit enfin, les yeux fixés sur lui.

— Rachel, raconte-moi ce qu'il s'est passé. Calme-toi et parle !

— Un homme... Avec un revolver...

Elle luttait pour reprendre sa respiration et portait ses mains tremblantes à son cœur.

— Je crois... Oh, mon Dieu... ! Je crois qu'il a

tiré sur Gabe. Il a voulu me viser, mais Gabe l'en a empêché, alors...

— Où est Delilah ? rugit Cam. Lui a-t-il aussi tiré dessus ?

— Je ne sais pas, je ne crois pas, gémit-elle en enfouissant sa tête dans ses mains. Elle m'a hurlé de sortir. Mais Gabe se bagarrait avec lui.

— Il les tient à sa merci, conclut Cam à l'adresse de Maggie tout en relâchant Rachel.

Mais Maggie ne l'écoutait déjà plus. Elle avait sorti sa radio et requérait de toute urgence du renfort et une assistance médicale. Replaçant la radio à sa ceinture, elle sortit son revolver de son étui.

— Appelle la clinique au cas où le S.A.M.U. tarde à venir, dit-elle à Cam.

— Rachel va s'en charger. Moi, je viens avec toi, rétorqua Cam.

— Sûrement pas ! refusa Maggie en vérifiant son arme. Tu restes ici, et tu appelles les secours. Je suis un policier, je suis entraînée pour affronter ce type de situation. Toi non.

— Je me moque de qui est entraîné ou non ! Si tu crois que je vais rester là à me ronger les sangs tandis qu'un forcené tient Delilah et Gabe à sa merci, tu es plus folle que lui !

— Cesse de discuter. Tu dois obéir à mes ordres. Il pourrait te tuer.

— Mais tu ne comprends donc pas ? Il risque de tuer Gabe et Delilah !

Si ce n'était déjà fait...

Cam jeta un coup d'œil vers l'escalier, puis vers Maggie, avant d'ajouter sur un ton qui n'admettait aucune réplique :

— Nous perdons du temps. Je vais monter par l'escalier arrière, entrer par les cuisines et attirer son attention. Toi, passe par l'escalier principal.

— Tu es un civil, Cam. Je pourrais perdre mon job en acceptant que...

— Il vaut mieux que tu perdes ton job et que Delilah et Gabe restent en vie ! J'y vais, conclut-il.

— O.K., accepta Maggie de mauvaise grâce. A condition que tu restes en dehors de mon champ de tir.

— S'il les a tués...

— Assez ! Monte par les cuisines et attire son attention. Je me charge du reste.

— S'il a tué l'un ou l'autre, c'est un homme mort, reprit Cam d'une voix blanche en s'élançant dans l'escalier.

— Tu ne pourras pas t'en sortir, Avery, disait Delilah d'une voix calme. La police est en route maintenant. Elle sera là avant que Cam n'arrive et que tu n'aies le temps de t'enfuir.

— Ne prends pas tes désirs pour des réalités, ma chérie. Je n'entends aucune sirène. En outre, j'ai un otage.

A cet instant, il dirigea son revolver vers Gabe en souriant d'un air mauvais.

— Et n'oublie pas que tu as promis de me suivre sans créer de difficultés, ajouta-t-il. Si la police arrivait avant notre départ, elle serait contrainte de nous laisser partir.

— Ne compte pas là-dessus, déclara Cam depuis les cuisines.

Delilah et Avery se tournèrent dans la direction d'où

provenait la voix juste à temps pour voir Cam bondir sur Avery.

Impuissante, Delilah observait la scène avec une affreuse impression de déjà-vu.

— Plus un geste ! Police !

Maggie se tenait sur le seuil du Perroquet Rouge, bras tendus, l'arme pointée vers les deux hommes. Mais ces derniers ne firent pas cas de son ordre et continuèrent à se battre.

— Delilah, plaque-toi au sol ! cria Maggie en avançant vers eux.

Alors que la jeune femme plongeait à terre, elle entendit un coup partir, puis elle vit Cam vaciller...

— Police ! Lâchez cette arme ! ordonna Maggie.

Mais Avery, les yeux injectés de sang, braquait toujours son arme sur elle.

Alors, comme dans un film au ralenti, Delilah entendit l'explosion d'une balle et vit du sang jaillir de la poitrine d'Avery. Celui-ci resta quelques secondes debout, immobile, stupéfait... Puis son revolver lui tomba des mains, et il s'effondra à son tour sur le plancher.

Quelques secondes plus tard, Delilah se blottissait dans les bras de Cam et sanglotait en s'agrippant à lui, incapable de croire qu'il était là et en vie.

— C'est fini, murmurait-il en embrassant ses cheveux. Fini ! Tout va bien...

— Gabe..., sanglotait-elle. Je crois qu'il a tué Gabe.

Cam la relâcha doucement pour s'agenouiller près de son frère. Alors Delilah se rendit compte qu'elle avait du sang sur les mains.

— Cam, tu es blessé...

— Ce n'est rien, juste une blessure superficielle au bras.

Tremblante, elle s'approcha de Cam qui prenait le pouls de Gabe.

— Son pouls bat. Regarde, il cligne des paupières, il revient à lui. Trouve-moi un garrot pour que je stoppe l'hémorragie.

Elle se saisit du premier torchon qui lui tomba sous la main et revint vers eux.

Gabe avait ouvert les yeux.

— Pourquoi es-tu intervenu ? Il aurait pu te tuer ! C'est de la pure inconscience !

Un faible sourire éclaira le visage de Gabe qui murmura péniblement :

— C'est de cette façon que me remercie ma future belle-sœur ?

Soudain, il fit la grimace et gémit.

— Qu'est-ce que tu fais, Cam ? Tu me fais mal...

— J'essaie d'arrêter l'hémorragie.

— Ma tête me fait terriblement souffrir, j'ai l'impression qu'elle va éclater...

Soudain les sirènes de la police retentirent et ils entendirent des portières claquer.

— C'est trop aimable de se déplacer, marmonna Cam, cynique. Surtout quand tout est terminé.

— Freeman est mort, déclara Maggie accroupie près de lui.

Elle se releva lentement et sortit sa radio.

— Je contrôle la situation. Le forcené a été abattu. Envoyez d'urgence une assistance médicale. Au moins deux civils sont blessés...

Levant les yeux vers Delilah, elle lui demanda :

— Etes-vous blessée ? Vous a-t-il tiré dessus ?

— Non, moi je n'ai rien.

— Deux civils, confirma-t-elle avant de raccrocher.

Cam tentait de calmer Gabe qui commençait à s'agiter, refusant que son frère le soigne.

— Laisse-moi faire, Cam, lui proposa Maggie. J'ai pris des cours de secourisme. Occupe-toi de ta propre blessure. Delilah, faites-lui un bandage. Et mettez des glaçons sur votre hématome… Quant à toi, Gabe, tiens-toi tranquille, tu veux bien ?

— Maggie, sans vous, je ne sais pas ce que nous aurions fait, déclara Delilah. Merci de tout cœur.

— J'aurais préféré arriver plus tôt. J'ai accouru dès que j'ai appris que Freeman avait disparu.

Prenant Delilah dans ses bras, Cam la serra de toutes ses forces.

— J'ai eu la plus grande peur de ma vie. Dieu soit loué, tu n'as rien…

Il s'écarta légèrement d'elle pour scruter son visage et ajouta, en effleurant l'hématome naissant sur la joue de la jeune femme :

— Il ne portera plus jamais la main sur toi.

— Je n'arrive pas à croire que tout est terminé, murmura-t-elle.

Elle jeta un bref coup d'œil vers le corps inerte d'Avery.

— Il aurait pu te tuer. Ainsi que Gabe. C'est ma faute. Oui, toute cette tragédie, c'est à cause de moi. Si dès le début j'étais allée dans un centre…

— Delilah, arrête ! Ne le laisse pas remporter une victoire post-mortem. Le responsable, c'est Freeman, pas toi. C'est lui qui a tiré sur Gabe. Sur moi. C'est lui qui menaçait de te tuer. Freeman n'est plus. Le cauchemar est terminé, conclut-il en l'embrassant tendrement sur la bouche.

22.

Le S.A.M.U. emmena tout le monde à l'hôpital. Cam put en sortir immédiatement après les soins qui lui furent administrés.

Gabe, pour sa part, passa la nuit à l'hôpital d'où il ressortit le lendemain. Sa blessure par balle n'était pas sérieuse. Néanmoins, en raison des coups qu'il avait reçus à la tête, les médecins avaient préféré le garder vingt-quatre heures en observation.

Il s'avéra que Freeman avait retrouvé Delilah non grâce à ses relations dans la police mais par l'intermédiaire du détective privé qu'il avait engagé. Ce dernier avait croisé Rachel en sortant du Perroquet Rouge et lui avait montré la photo de Delilah. Rachel avait spontanément répondu qu'elle était serveuse au Perroquet Rouge... et omis d'avertir Cam ou Delilah de l'étrange rencontre.

Quelques jours après le décès de Freeman, Delilah reçut la visite d'un avocat.

— J'ai hérité de toute sa fortune, annonça-t-elle à Cam un peu plus tard sur un ton affligé. Il est mort sans avoir rédigé de testament de sorte que tous ses biens me reviennent.

— Tu ne parais pas particulièrement enchantée de ce legs, fit observer Cam.

— A vrai dire, je ne sais pas trop ce que je ressens… Je ne veux pas de son argent. Je m'apprêtais à divorcer. Ce n'est pas…

Elle fit un geste d'impuissance.

— Ce n'est pas légitime.

— Pourquoi ? A-t-il gagné cet argent de façon malhonnête ?

— Non. Tout est légal, mais… cela représente une somme bien trop importante.

— Quel en est exactement le montant ?

— Trois millions de dollars.

— Effectivement…

— Je ne sais pas ce que je vais en faire, dit-elle, visiblement soucieuse. Il faut que je réfléchisse.

Cam non plus ne savait trop qu'en penser. Cette nouvelle d'importance venait quelque peu perturber sa bonne humeur retrouvée…

La bague de sa grand-mère commençait à peser une tonne dans sa poche car cela faisait des jours qu'il attendait le moment opportun pour demander Delilah en mariage. Et il avait prévu de le faire le soir même.

Or, accaparée par cet héritage qui semblait lui poser plus de problèmes que de joie, il se pouvait que la jeune femme ne fût pas aussi réceptive à sa demande qu'il l'aurait souhaité. Pourtant, il avait assez attendu. Aussi décida-t-il d'agir selon ses plans initiaux. Il pria donc Cat de leur préparer un pique-nique puis proposa à Delilah un dîner sur la plage.

Il régnait une douceur surprenante pour une fin d'octobre. Le clair de lune semait des étoiles argentées sur le sable mouillé. La plage était déserte, tranquille, et si romantique ! Un endroit idéal pour une demande en mariage.

Ils venaient de finir de dîner. Cat avait préparé de nombreux canapés au saumon fumé, une copieuse salade de crevettes marinées et une délicieuse tarte au chocolat. Ils avaient dégusté chaque plat avec un plaisir non dissimulé. Delilah était à présent lovée entre les bras de Cam, qui lui enlaçait la taille. De temps à autre, il prenait le verre de vin à côté d'eux pour le porter aux lèvres de Delilah ou aux siennes.

— Quelle bonne idée ! soupira Delilah en lui caressant distraitement le bras. Comme c'est gentil à Cat de nous avoir préparé cet excellent dîner !

— Je lui ai dit que je voulais te séduire lors d'un pique-nique romantique au clair de lune. Elle a immédiatement accepté de s'en charger. Elle est toujours sensible à ce genre d'argument.

Delilah se mit à rire et déposa un baiser sur les lèvres de Cam.

— Alors tu pourras lui dire que ton plan a marché. Et que ses crevettes étaient délicieuses !

Ils restèrent silencieux quelques instants, absorbés par le spectacle de la mer étale et argentée sous la pleine lune.

— Je crois que j'ai trouvé ce que je vais faire de cet argent, annonça brusquement Delilah.

Cam n'avait pas précisément envie d'évoquer Freeman, mais, sachant que Delilah n'aurait pas de cesse qu'elle ne lui ait exposé sa solution, il l'encouragea à poursuivre.

— Au début, j'avais pensé y renoncer, reprit-elle. Mais finalement, je trouve que ce serait un geste un peu trop mélodramatique.

Il ne put s'empêcher de sourire. Cette femme ne laissait pas de l'étonner.

— J'ai donc décidé de l'utiliser pour une bonne cause, c'est-à-dire pour aider les femmes qui connaissent les épreuves par lesquelles je suis passée.

— Tu souhaites ouvrir un centre pour femmes battues ?

— Quelque chose dans cet esprit-là, oui... Une fondation qui serait dédiée à plusieurs projets. La création d'un centre, mais aussi l'amélioration de la sécurité dans ceux qui existent déjà. Et...

A cet instant, elle se tourna vers lui et Cam put lire dans ses prunelles bleues toute l'excitation qui l'animait à l'idée de cette fondation.

— Je voudrais également permettre aux femmes d'acquérir une formation ou de réintégrer le cursus scolaire en vue de passer des examens qui leur permettraient de trouver un travail et d'être indépendantes. Qu'en penses-tu ?

— Je trouve que c'est une excellente idée ! Et comment vas-tu appeler ta fondation ?

— La fondation Anita, répondit-elle doucement.

— Quel bel hommage ! approuva Cam, ému, en l'embrassant sur le front.

— Je n'investirai pas toute la somme dans ce projet, précisa-t-elle cependant. J'en utiliserai une partie pour terminer mes études. Je veux toujours devenir comptable.

— Ta nouvelle indépendance financière ne t'a-t-elle donc pas fait changer d'avis à ce sujet ?

— Pensais-tu que cet argent allait radicalement modifier ma vie ?

— Je ne sais pas... Et, puisque l'on parle de modifier ta vie, je... je voudrais vérifier que tu n'as pas changé d'avis à propos d'un tout autre sujet, se lança-t-il, le cœur battant.

Il plongea une main maladroite dans la poche intérieure de sa veste... En lui tendant la bague de sa grand-mère, il ajouta :

— A propos de toi et moi...

Delilah regarda la bague sans la prendre. Elle l'examina longuement, puis leva les yeux vers Cam.

— On dirait une...

Elle dut s'éclaircir la gorge avant de reprendre :

— On dirait une bague.

— Exact. C'est la bague de fiançailles de ma grand-mère... Delilah, veux-tu m'épouser ?

La jeune femme ouvrit de grands yeux surpris.

Comme elle demeurait silencieuse, une certaine nervosité commença à gagner Cam.

— Eh bien, Delilah ? Tu ne dis rien ?

Il espérait tellement entendre jaillir un « oui » franc et joyeux de sa bouche. Suivi d'un éventuel : « Je t'aime, Cam. » Mais elle le fixait obstinément, étrangement pâle.

— Tu me demandes en mariage, déclara-t-elle alors d'une voix neutre.

— Oui, tu as bien entendu. Ce n'est pas la première fois, d'ailleurs, mais jusque-là, sa réalisation était impossible.

Bon sang ! Pourquoi restait-elle immobile à le regarder d'un air stupéfait, comme s'il avait perdu la tête ?

— Je croyais que... Enfin, comme tu ne m'en avais pas reparlé, je me demandais si tu n'avais pas renoncé au projet, articula-t-elle avec peine.

— T'épouser est ce que je désire le plus ardemment au monde, Delilah.

— Oui, fit-elle soudain d'une voix tremblante. Oui, j'accepte de devenir ta femme.

Nouant ses bras autour du cou de Cam, elle l'embrassa avec fougue.

— Dieu soit loué, marmonna-t-il contre ses lèvres. Je dois avouer que j'ai eu peur pendant quelques secondes.

Alors elle s'écarta de lui en riant et lui présenta sa main d'un geste solennel. Il glissa la bague à son annulaire puis embrassa le bout de ses doigts avant de plaquer sa bouche brûlante contre sa paume délicate.

— Je t'aime, Delilah, et je veux te rendre heureuse.

— Tu me rends déjà heureuse. Et je suis si heureuse que j'ai parfois l'impression que ce bonheur est irréel.

— Je t'assure que tu peux y croire.

Tendant sa main devant elle, elle admira la bague, un beau diamant serti dans de l'or ancien.

— Qu'elle est belle ! Elle appartenait à ta grand-mère, n'est-ce pas ?

Il hocha la tête.

— Elle tenait à ce qu'elle revienne à son premier petit-fils, c'est pourquoi j'en ai hérité. Et au cas où la question te tarauderait, sache que Janine n'a jamais vu cette bague, ajouta-t-il.

— J'en suis très heureuse, lui avoua-t-elle en souriant.

Puis elle se glissa contre lui et l'embrassa de nouveau passionnément.

Approfondissant leur baiser, il mêla sa langue à la sienne pour s'imprégner de la douceur de sa bouche. Puis ses mains s'égarèrent vers sa poitrine... Il la désirait.

Là. Maintenant. Consentante et sensuelle dans l'abandon de l'amour.

Ils s'allongèrent doucement sur le sable et, tout en continuant à l'embrasser, il passa sa main sous sa chemise pour mieux caresser ses seins.

— As-tu déjà fait l'amour sur la plage ? lui demanda-t-il à l'oreille.

— Non, répondit-elle en glissant une main entreprenante vers son bas-ventre. Suis-je sur le point de connaître cette expérience ?

— Si tu ne retires pas ta main de l'endroit où elle se trouve, oui, grogna-t-il.

Elle se contenta de lui sourire... et d'accentuer l'intensité de ses caresses.

Roulant sur elle, il ajouta d'une voix rauque :

— J'aimerais que tu ne portes rien d'autre que cette bague, pour moi, ce soir...

Un sourire lascif se dessina alors sur les lèvres de Delilah.

— Ton souhait va être exaucé...

Le mariage eut lieu deux petites semaines plus tard. A l'aube de ce grand jour, Delilah se lova contre Cam avant même d'ouvrir les yeux.

— Bonjour, lui murmura-t-il doucement. Bonne journée de mariage, mon amour.

— Bonne journée de mariage à toi aussi, répondit-elle en souriant, encore tout alanguie. Je n'arrive pas à croire que c'est aujourd'hui que nous nous marions.

— Vraiment ? Veux-tu que j'essaie de t'en convaincre encore ? dit-il en se coulant étroitement contre son corps tendre et chaud.

Hélas... On frappa quelques coups à la porte avant qu'il n'ait pu pousser plus avant la démonstration.

— C'est sûrement Gabe qui vient te chercher, soupira Delilah.

— Pourquoi dois-je m'éloigner de toi pendant de longues heures le jour de notre mariage ? marmonna-t-il d'une voix plaintive tout en s'habillant docilement.

— Parce que tes sœurs l'ont ordonné ainsi ! lui répondit-elle en riant.

— Et que si tu n'obéis pas au doigt et à l'œil, elles vont me réduire en pièces, compléta Gabe derrière la porte. Allons, dépêche-toi !

— A tout à l'heure à l'église, murmura Cam en la prenant tendrement dans ses bras pour un ultime et long baiser...

— Cam... Tu auras tout le temps d'embrasser la mariée après la cérémonie ! s'impatienta Gabe qui devinait ce qu'il se passait dans la chambre.

Quelques instants plus tard, Cat, Gail et Meredith envahirent l'appartement pour aider la jeune mariée à se préparer.

Cat, qui était à peu près de la même taille que Delilah, lui avait spontanément offert sa robe de mariée. Comme Delilah protestait, elle lui avait affirmé avec malice que les Randolph étaient très conservateurs et qu'elle se devait de porter quatre choses bien précises : une empruntée, une ancienne, une neuve et une bleue. La robe de mariée était très belle et Delilah était touchée que Cat lui ait proposé de la porter.

Deux heures après l'arrivée de sa future belle-famille, Delilah était quasiment prête. D'un beau satin couleur ivoire, la robe était cintrée à la taille et comportait des manches à volant s'arrêtant à mi-bras, ainsi qu'un décolleté en forme de cœur. Sa simplicité lui conférait toute sa noblesse. Gail avait offert une jarretière à Delilah en guise d'accessoire bleu, et la bague de la grand-mère Livia faisait office d'objet ancien.

— Il ne te manque que l'article neuf, fit remarquer Gail d'un air mystérieux. C'est maman qui s'en est chargée.

Meredith lui tendit alors un étui oblong, tapissé de velours rouge.

Confuse, Delilah fut tentée de refuser.

— C'est fort aimable à vous, mais...

— C'est la tradition, Delilah, déclara Meredith en riant. Tu me vexerais en refusant. Ta mère ne pouvant assister à ton mariage, laisse-moi te choyer un peu à sa place.

Les larmes aux yeux, Delilah ouvrit doucement la boîte et poussa un petit cri de surprise : un ravissant bracelet orné d'un petit pendentif brillait de l'éclat doux de l'or sur le velours écarlate.

— C'est très beau, murmura Delilah d'une voix brisée. C'est un symbole chinois, n'est-ce pas ? Que signifie-t-il ?

— C'est le symbole du bonheur, lui apprit alors Meredith.

Promptement, elle attacha le bracelet au poignet de Delilah avant d'ajouter :

— Cam pourra t'offrir d'autres petits pendentifs, mais je tenais à te donner le premier. J'ai offert le même présent à Cat et Gail pour leur mariage respectif.

— C'est magnifique, merci beaucoup, dit Delilah en refoulant ses larmes.

— Tu rends mon fils heureux, et je t'en sais infiniment gré, dit Meredith en la serrant contre son cœur. Tu nous apportes à tous un grand bonheur.

— Et voilà, tu as réussi ! s'exclama Cat alors qu'une première larme roulait sur la joue de Delilah. Il va falloir recommencer la séance de maquillage !

— Vous êtes tous si gentils avec moi, murmura cette dernière. Je suis si touchée que la famille de l'homme que j'aime me traite avec tant d'égards.

— Nous t'aimons tous, Delilah, déclara Gail. Tu fais désormais partie de notre famille.

— Et la tribu Randolph est très unie, renchérit Cat en la prenant à son tour dans ses bras.

— Bienvenue parmi nous, conclut Meredith.

Une heure plus tard, Delilah se tenait devant l'église d'Aransas City, une église pleine à craquer. La marche nuptiale résonna bientôt sous les vieilles voûtes en pierre et ce fut Gabe qui, fort ému, conduisit la mariée jusqu'à l'autel.

Delilah possédait enfin tout ce qu'elle avait désiré et imaginé. Une famille, des amis, un mari. Un merveilleux mari... Elle marchait à présent vers lui d'un pas léger, le cœur battant, la tête étourdie de bonheur...

— Je ne t'ai jamais vue aussi belle et rayonnante, murmura Cam quand elle l'eut rejoint.

— C'est parce que je n'ai jamais été aussi heureuse, répondit-elle dans un frisson, en glissant sa main dans la sienne...

Chère lectrice,

Vous nous êtes fidèle depuis longtemps?
Vous venez de faire notre connaissance?

C'est pour votre plaisir que nous avons imaginé un rendez-vous chaque mois avec vos auteurs préférés, vos AUTEURS VEDETTE dans les collections Azur et Horizon.

Les AUTEURS VEDETTE vous donneront rendez-vous pour de nouveaux livres vedette.

Pour les reconnaître, cherchez l'étoile... Elle vous guidera!

Éditions Harlequin

LE FORUM DES LECTEURS ET LECTRICES

CHERS(ES) LECTEURS ET LECTRICES,

VOUS NOUS ETES FIDÈLES DEPUIS LONGTEMPS?

VOUS VENEZ DE FAIRE NOTRE CONNAISSANCE?

SI VOUS AVEZ DES COMMENTAIRES, DES CRITIQUES À FORMULER, DES SUGGESTIONS À OFFRIR, N'HÉSITEZ PAS… ÉCRIVEZ-NOUS À:

LES ENTERPRISES HARLEQUIN LTÉE.
498 RUE ODILE
FABREVILLE, LAVAL, QUÉBEC.
H7R 5X1

C'EST AVEC VOS PRÉCIEUX COMMENTAIRES QUE NOUS ALLONS POUVOIR MIEUX VOUS SERVIR.

DE PLUS, SI VOUS DÉSIREZ RECEVOIR UNE OU PLUSIEURS DE VOS SÉRIES HARLEQUIN PRÉFÉRÉE(S) À VOTRE DOMICILE, NE TARDEZ PAS À CONTACTER LE SERVICE D'ABONNEMENT; EN APPELANT AU (514) 875-4444 (RÉGION DE MONTRÉAL) OU 1-800-667-4444 (EXTÉRIEUR DE MONTRÉAL) OU TÉLÉCOPIEUR (514) 523-4444 OU COURRIER ELECTRONIQUE: AQCOURRIER@ABONNEMENT.QC.CA OU EN ÉCRIVANT À:

ABONNEMENT QUÉBEC
525 RUE LOUIS-PASTEUR
BOUCHERVILLE, QUÉBEC
J4B 8E7

MERCI, À L'AVANCE, DE VOTRE COOPÉRATION.

BONNE LECTURE.

HARLEQUIN.

VOTRE PASSEPORT POUR LE MONDE DE L'AMOUR.

ROUGE PASSION

De fiévreuses histoires d'amour sensuelles!

De provocantes histoires d'amour passionnées et romantiques qu'on lit d'une seule traite. Aventureuses, parfois humoristiques, et sensuelles, elles mettent en vedette des hommes et des femmes d'aujourd'hui.

ROUGE PASSION... trois nouveaux titres chaque mois.

GEN-RP-R

Composé et édité par les
éditions Harlequin
Achevé d'imprimer en mars 2006

BUSSIÈRE
GROUPE CPI

à Saint-Amand-Montrond (Cher)
Dépôt légal : avril 2006
N° d'imprimeur : 60358 — N° d'éditeur : 11999

Imprimé en France